SONIA HIRSCH

MANUAL DO HERÓI

OU A FILOSOFIA CHINESA NA COZINHA

HARMONIA DOS CINCO SABORES

O GRANDE PAPO PRÁTICO

ORÁCULO DO QUADRADO MÁGICO

O SABOR E A PERSONALIDADE

CONFÚCIO DISSE:
A HARMONIA DO MUNDO
DEPENDE DA RETIFICAÇÃO DOS NOMES.

HARMONIA DOS CINCO SABORES

DE MASSAGISTAS E DICIONÁRIOS, 9
Onde o herói sofre, fica bom e não entende nada

A ESTRELA DE CINCO PONTAS, 12
Ou: que imaginação tinham os antigos chineses!

NEM MAIS NEM MENOS, 17
Energia fluindo é que faz a estrela brilhar

SÓ PARA MULHERES, 44
E para os homens que gostam muito das mulheres

SÓ PARA QUEM SE RESFRIA, 47
Sabe que já é hora de parar com isso?

GLOSSÁRIO DO CORPO HUMANO, 48
Explicações que o dicionário não traz

O GRANDE PAPO PRÁTICO

QUANTO? COMO? QUANDO?, 62
As dicas, os toques e os truques do bem-comer

TABELAS E MAIS TABELAS, 76
À escolha do freguês

O BANCO DA COZINHA, 94
Onde estão depositadas as propriedades dos alimentos

RÁPIDA REFERÊNCIA, 112
Um verdadeiro rosário de mazelas e contra-indicações

O SABOR E A PERSONALIDADE

O QUADRADO MÁGICO, 124
Oráculo fácil de usar e, principalmente, de compreender

AS NOVE PERSONALIDADES, 128
Um jeito interessante de nos conhecermos melhor

TUDO BEM NO ANO QUE VEM?, 141
Claro, ora. É só entrar em sintonia

AS NOVE CASAS, 144
Os ciclos da vida de todo mundo

MAS ISSO TUDO É VERDADE?, 153
Tudo bem, perguntar não ofende

DE MASSAGISTAS E DICIONÁRIOS

Deitou bom, acordou emperrado — costas presas, pescoço duro, braço bobo. Capengou até o banheiro, achou aquela aspirina americana que era tiro-e-queda, tomou logo duas, e nada: nem tiro, nem queda. Depois do café engoliu mais duas. Nenhum efeito. De tarde foi ao médico: injeção, comprimido caro, botou a maior fé! E à noite achou que ia morrer. Morrer torto, sem entrar direito no caixão. Dia seguinte tirou todas as radiografias possíveis, e o que encontrou? Nada, apesar de tudo. No terceiro dia já estava desesperado, achando que viver daquele jeito era ainda pior do que morrer. Foi aí que a ex-sogra telefonou falando do massagista japonês que fazia milagres. Ele imaginou socos, agulhadas traiçoeiras, golpes mortais de caratê, tremeu de medo, mas quem sabe adiantava?

Socos, agulhadas, golpes de caratê, dores e dores e dores — mas não é que melhorou? Japonês mandou voltar no dia seguinte. Na porta, domo arigatô, emendou:

— E vê se pára de abusar desse fígado, que ele não é de ferro!

Fígado? Ué. Que comentário mais disparatado, pensou. Mas dormiu bem e acordou mais solto, quase bom. Japonês danadinho! Chegou lá, danadinho meteu a mão: torceu, estalou, futucou, agulhou, queimou, mandou voltar em dois dias, arigatô, reforçou:

— E o fígado, já está cuidando melhor dele?

Fígado. Que diabos queria o japonês dizer com isso? Desconcertado, foi ao Aurélio ler que "fígado é uma víscera glandular volumosa situada predominantemente no hipocôndrio direito, com pequena parte no epigástrio e hipocôndrio esquerdo, que desempenha funções tais como secreção da bílis, modificação de medicamentos, produção de glicogênio, e outras". Grande coisa. Podia estar escrito lá que isto é bom para o fígado, aquilo é ruim para o fígado, chá de boldo por exemplo ele se lembrava da tia tomar sempre e não comer gorduras nem beber álcool de jeito nenhum porque sofria do fígado. Pobre tia, morreu do coração. Mistérios. Pensava nisso enquanto jantava ovos com bacon e tomou mais uma cerveja à saúde dos antepassados.

Na consulta seguinte, reparando melhor na decoração do consultório, viu uns mapas do corpo humano cheio de linhas, pontinhos, letras e números. Identificou alguns lugares que o japonês agulhava ou queimava: F3 no pé, F9 na perna. Na primeira chance perguntou o que significavam aqueles códigos.

— Fígado!, respondeu o japonês.

Nosso herói calou-se para sempre. Porque o homem certamente punha as costas no lugar, mas em matéria de fígado era no mínimo um neurótico.

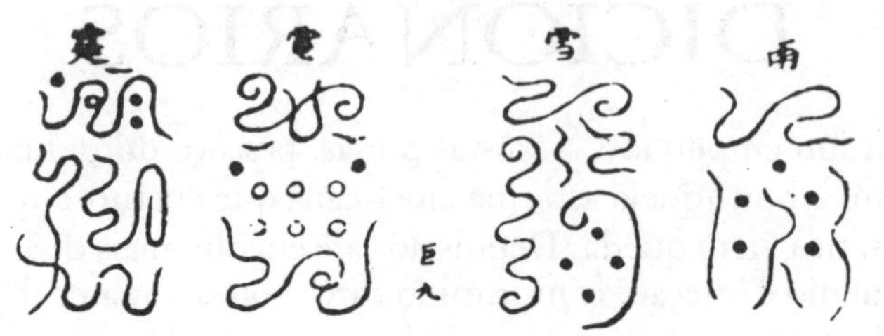

Ah, que falta faz o verbo!

Fosse menos lacônico, o brilhante manipulador de músculos e articulações poderia ter iluminado a mente do herói explicando que as linhas desenhadas nos mapas representam meridianos de energia, ou seja, canais por onde passa uma certa vibração sintonizada com o funcionamento de tudo o que existe no corpo — incluindo a cabeça. Contaria, tomando um chá, que o exercício da medicina através desses meridianos é muito antigo e começou com os chineses, quatro ou cinco mil anos atrás, sendo depois adotado também pelos japoneses. Mostraria que acupuntura, shiatsu, do-in, quiroprática e outras técnicas cujos bons efeitos parecem pura mágica aos nossos redondos olhinhos ocidentais são modos diferentes de usar os mesmos princípios para harmonizar a energia vital.

Então, pacientemente, explicaria que o fígado está ligado aos músculos do mesmo jeito que a unha ao dedo, e não só a eles como ainda aos olhos, à cor verde, ao sabor ácido, à primavera, à excitação sexual, à raiva, à imaginação, à paciência, e que todas essas coisas são vistas pela tradição chinesa como manifestações de um mesmo tipo de energia, como círculos concêntricos na água em que caiu uma pedrinha. Por fim, tirando a última carta da manga, o bom mestre diria ao herói que a tradição medicinal do oriente manda tratar os distúrbios primeiro com alimentação; se não adiantar, com ervas; e só em último caso com agulhas e massagens.

Por que calou? Calou por quê? Certamente, ora, por estar careca de saber que a maior parte das pessoas detesta a idéia de mexer em hábitos alimentares e também não acredita em tomar chá, preferindo ir logo ao tratamento mais profundo — que resolve a crise, mas não modifica comportamentos e portanto não elimina as causas.

Muito bem. Massagista massageia, livro verbeia. Este livro é dedicado a você, herói.

Como? Não, nenhuma dieta, pode ficar sossegado. Ao contrário: comer de tudo. Que o ser humano, afinal, é onívoro, como qualquer observador mais atento pode constatar. Mas comer de tudo para ficar leve, de bom humor, numa sintonia fina com as ondas interessantes, e principalmente com as costas no lugar, tá certo?

Também não tem receitas de massagem, nem de acupuntura, nem de tratamentos do fígado, mas tem muita informação.

Pra dizer a verdade, amigo, é um livro de tudo e nada. Só que do ponto de vista chinês, embora escrito no Rio de Janeiro; sobre um modo muito antigo de ver o mundo, apesar de feito em computador. Você pode começar imaginando que "tudo" é yang, o claro, e "nada" é yin, o escuro, e terá um livro sobre yin e yang. Pode imaginar que é um almanaque, um inventário do sabor, um objeto de consulta, uma curiosidade a mais na sua estante. Mas pode imaginar também que é um livro sobre você, sobre mim, sobre meios de conhecermos melhor os nossos processos — internos, externos, grandes, pequenos, objetivos, subjetivos, de relacionamento, de vida e morte, medo e paixão, em suma: essas coisas que nos envolvem no dia a dia e que temos dificuldade de arrumar como um todo.

Tudo e nada. Vamos lá? Coragem, herói: é só mais uma aventura.

A ESTRELA DE CINCO PONTAS

Tudo o que se quer entender carece de um mínimo de arrumação. Os chineses de antigamente, muito apaixonados pela observação e classificação dos fenômenos da natureza, arrumaram o mundo primeiro em yin e yang, a quietude e o movimento, o sombrio e o luminoso, o vazio e o cheio, a água e o fogo. Essa forma de pensar, a princípio estranha, se torna simples e vigorosa quando nos acostumamos com ela — ou melhor, quando percebemos que yin e yang não são forças opostas e distintas, mas qualidades inseparáveis de um mesmo processo. Você joga a bola para cima, herói, e enquanto há impulso ela sobe, e isto é yang; acabado o impulso ela pára de subir e cai, e isto é yin. Yang: movimento. Yin: quietude. Nada é yin ou yang o tempo todo. Quando um atinge sua expressão máxima, se transforma no outro. Como uma onda no mar, que começa devagarinho, vai crescendo, mostra sua força, atinge seu máximo — e quebra, deixando despencar aquele monte de água e espuma. Como o sol que vai subindo no céu até ficar a pino, e então começa a descer. Yin e yang refletem as mutações contínuas do próprio universo e nos dão a chave para compreender uma realidade sempre relativa, cheia de novidades e surpresas, e entretanto constante em seus ciclos temporais.

Durante muito tempo foi assim; yin e yang, em sua infinita flexibilidade, eram o modo oficial do pensamento. Mas aos poucos foi aparecendo, e finalmente se escancarou há cerca de três mil anos, uma outra forma de arrumar o mundo — sempre compatível com yin e yang, mas definida em cinco setores que abrangem simplesmente tudo.

Por que cinco e não quatro ou seis? Porque esses novos pensadores prestaram muita atenção a certos detalhes. Por exemplo: os pontos cardeais, que sempre se diz que são quatro, para eles são cinco — norte, sul, leste, oeste e centro. Pois que seria das direções se não houvesse um centro como ponto de partida? Outro detalhe: as estações do ano. Onde todo mundo viu quatro eles viram mais uma, o final do verão, que tem características de todas as estações e se faz notar também, embora menos intensa, no final da primavera, do outono e do inverno.

No funcionamento do corpo humano perceberam cinco órgãos fundamentais, cada qual constituindo, com seu meridiano, um centro sutil de energia: fígado, coração, baço, pulmões e rins. Viram que esses órgãos atuam em parceria com cinco outros: vesícula biliar, intestino delgado, estômago, intestino grosso e bexiga. Notaram que cada um dos cinco setores é mais sensível a um tipo de clima: vento, calor, umidade, secura ou frio. Mais ativo num período do dia: manhã, meio-dia, tarde, anoitecer ou noite. Favorece diferentes atitudes: planejamento, comunicação, reflexão, ordenação, vontade. E traz consigo um sabor — ácido, amargo, doce, picante ou salgado — que vai influir decisivamente na nossa vida, já que sua presença reforça, sua ausência enfraquece e seu excesso desequilibra a energia daquele setor dentro de nós.

Essa arrumação do mundo em cinco partes é representada por uma estrela de cinco pontas, cada uma das quais recebe o nome do elemento natural que mais se identifica com aquela maneira de ser. Água para a energia que é fria, fluida, pesada, escura, yin. Madeira para a energia morna que brota, sobe, ocupa e determina espaços — o começo do movimento, yang. Fogo para a energia quente, leve, luminosa e exuberante que se espalha com facilidade: yang. Terra para a energia neutra sobre a qual tudo repousa, estabilizadora, receptiva. Metal para a energia fresca e seca que desce, concentra, contrai — o começo do yin.

Mas o mundo gira e a estrela roda, herói, e rodando constrói um ciclo, um círculo, um mundo redondo em que tudo muda o tempo todo. Água se transforma em Madeira, Madeira se transforma em Fogo, Fogo se transforma em Terra, Terra se transforma em Metal, Metal se transforma em Água. O movimento nasce, cresce, atinge o alto, desce, morre, renasce, tudo legitimamente yin e yang.

As pontas da estrela representam os momentos de transformação dentro do ciclo. São apenas um modo fácil de simbolizar o processo; não dão a idéia visual exata, porque Terra deveria estar sempre no centro, mas quebram o maior galho.

Os chineses expressam estes momentos da seguinte forma:

O leste cria o vento. O vento cria a madeira. A madeira cria o sabor ácido. O sabor ácido nutre o fígado; o fígado nutre os músculos; os músculos fortalecem o coração; e o fígado governa os olhos. Os olhos vêem a escuridão e o mistério do Céu e descobrem Tao, o caminho.

Do sul vem extremo calor. Calor produz fogo e fogo produz o sabor amargo. O sabor amargo nutre o coração, o coração nutre o sangue e o sangue dá vida ao estômago. O coração reina sobre a língua.

Do centro vem a umidade que cria a terra e a terra cria o sabor doce. O sabor doce nutre o baço, que nutre as carnes que fortalecem o pulmão. E o baço governa a boca.

O oeste engendra a secura que produz o metal. O metal cria o sabor picante e o sabor picante nutre o pulmão. O pulmão nutre a epiderme que fortalece os rins, e governa o nariz.

O norte cria o frio; o frio produz a água; a água gera o sabor salgado; o sabor salgado nutre os rins; os rins nutrem os ossos e as medulas, que fortalecem o fígado; e os rins governam as orelhas.

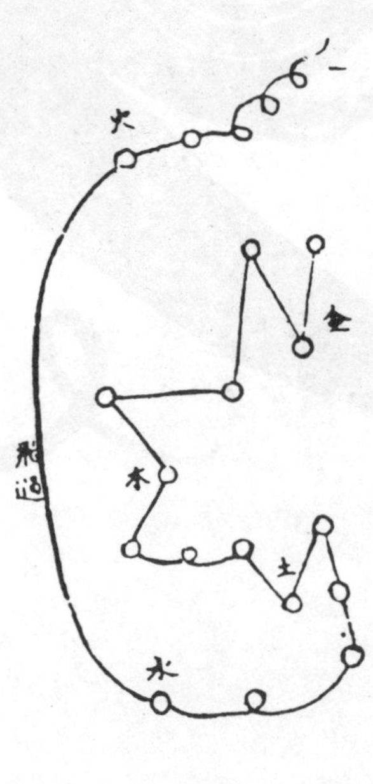

Uma interpretação gráfica dos cinco modos energéticos na circulação interna, segundo o Cânon taoísta

Você reparou que um setor nutre e fortalece o outro? Mais que isso, herói: um setor integra o outro, tem conseqüências no outro, sofre as conseqüências de outro, exatamente como tudo o que existe no universo. Como nós tendemos a ver as partes isoladas, fragmentadas, às vezes é muito difícil compreender a dinâmica das interações nessa história. Não se afobe. O inconsciente também trabalha. Trocando tudo em frases curtas, o jogo simbólico fica assim:

Madeira queima, produzindo Fogo, de cujas cinzas se forma a Terra, e dentro dela se condensa o Metal que expulsa de si a Água, da qual brota Madeira. Ou seja: Madeira nutre Fogo, que gera Terra, que engendra Metal, que gera Água, que nutre Madeira, ou seja ainda: uma ponta dá energia para a outra, permite que a outra aconteça. Este é o ciclo de geração de energia.

Mas a Água apaga o Fogo, que funde o Metal, e Metal corta a Madeira, que esgota a Terra, e Terra absorve a Água, não é? Pois então, herói, este é o ciclo de dominação da energia. Significa que Madeira controla Terra, Terra controla Água, Água controla Fogo, Fogo controla Metal, Metal controla Madeira.

E também é possível que Madeira ofenda Metal, Metal ofenda Fogo, Fogo ofenda Água, Água ofenda Terra e Terra ofenda Madeira, assim como qualquer escravo pode se voltar contra seu senhor, e este é o ciclo perverso.

De qualquer modo, as cinco pontas têm sempre uma relação dinâmica entre si que não deixa nenhuma de fora: Água nutre Madeira, é nutrida por Metal, controla Fogo, é controlada por Terra. Madeira nutre Fogo, é nutrida por Água, controla Terra, é controlada por Metal. Fogo nutre Terra, é nutrido por Madeira, controla Metal, é controlado por Água. Terra nutre Metal, é nutrida por Fogo, controla Água, é controlada por Madeira. Metal nutre Água, é nutrido por Terra, controla Madeira, é controlado por Fogo.

Quando um elemento predomina, por exemplo em determinados horários ou estações do ano, é chamado imperador: o mais ativo. O que é nutrido por ele se chama ministro: está perto, desperto. O que gerou é a mãe: repousa, esgotada. O controlado por ele é inimigo vencido: não ousa. O que controla seu poder é conselheiro: modera.

IMPERADOR	MINISTRO	VENCIDO	CONSELHEIRO	MÃE
MADEIRA	FOGO	TERRA	METAL	ÁGUA
FOGO	TERRA	METAL	ÁGUA	MADEIRA
TERRA	METAL	ÁGUA	MADEIRA	FOGO
METAL	ÁGUA	MADEIRA	FOGO	TERRA
ÁGUA	MADEIRA	FOGO	TERRA	METAL

Viu só, herói? Uma ciranda...

Chi:
acima o Fogo,
abaixo o Vazio

NEM MAIS NEM MENOS

Excesso de energia, deficiência de energia? Nenhum dos dois presta. Excesso entope, deficiência esvazia; energia vital fluindo é que faz a estrela brilhar.

Mas o que é mesmo energia vital? Para os chineses Chi, para os japoneses Ki, para os hindus Prana, algo que diferencia a vida da morte, o que tem alma do que não tem. Viver é ter Chi em todas as partes do corpo, morrer é perder o Chi. O conceito de Chi harmonioso engloba todos os contrastes, e este equilíbrio interno, completado pelo equilíbrio com o meio externo, gera uma vitalidade positiva que protege o corpo dos fatores negativos. As doenças resultam do conflito entre o Chi e esses fatores.

São três as origens do Chi. A primeira vem dos pais, no momento da concepção; vai sendo gasta aos poucos e não se renova. A segunda vem do alimento e a terceira do ar; estas são gastas o tempo todo e se renovam quando comemos e respiramos.

Aos ouvidos ocidentais esse papo de Chi pode soar como algo abstrato, mas na prática tradicional da medicina chinesa ele é uma realidade física, que pode ser manipulada por um mestre tanto quanto um dente por um dentista. Basta ao médico sentir os pulsos do paciente para saber se os meridianos de energia estão cheios ou vazios e o que isto significa, a tal ponto que mesmo uma gravidez de duas semanas pode ser diagnosticada assim. A suprema arte da manipulação do Chi, ou da energia vital, se chama Chi Kun. É geralmente exercida por pessoas que conseguem tornar seus corpos duros como aço ou emitir vibrações que cortam blocos de mármore; quando utilizam essa arte na medicina, atuam sobre os sistemas de energia do paciente até sem tocá-los.

Mas quem não é monge nem sabe ler pulsos também pode começar a perceber as variações do fluxo energético através de suas manifestações mais evidentes, os sintomas. Assim como um jardineiro percebe uma planta doente e relaciona isso com as condições de sol, sombra, água, terra ou vento, qualquer pessoa sensível descobrirá seus pontos vulneráveis observando sua própria natureza a partir das dicas chinesas.

☆ Para um velho médico chinês, alguém que sonhou com cogumelos pode estar mal em Madeira; se brigou por causa deles, então, pior ainda; e se a briga provocou um corte, só os deuses conseguem salvar.

☆ Como o sol, que a cada momento do dia ilumina de forma diferente as partes de uma casa, a recarga energética atua sobre os nossos cinco setores em diferentes horários. Nesses períodos, que duram mais ou menos duas horas, os sintomas de desequilíbrio costumam melhorar ou piorar.

☆ Verde, verdeazul e violeta são as cores de Madeira; vermelho e púrpura as de Fogo; amarelo e laranja as de Terra; branco, bege e cinza-claro são as cores de Metal; azul-escuro e preto as de Água. A preferência ou intolerância pelas cores, seja nas roupas, na decoração da casa, na cor do carro ou na comida, revela em que setor está a tensão da pessoa — seja por excesso de energia, e então ela não consegue deixar de manifestar externamente a cor, seja por deficiência, quando ela intuitivamente procura absorver a cor.

☆ Emoções, contidas ou escancaradas, são tão reais quanto qualquer coisa que se possa ver, cheirar, chutar. Assim como beber um litro de cachaça ou comer um vidro de pimenta faz mal ao fígado, sentir raiva em excesso também faz.

Mais um passo, herói: venha ver de perto como este mundo se arruma em Madeira, Fogo, Terra, Metal e Água.

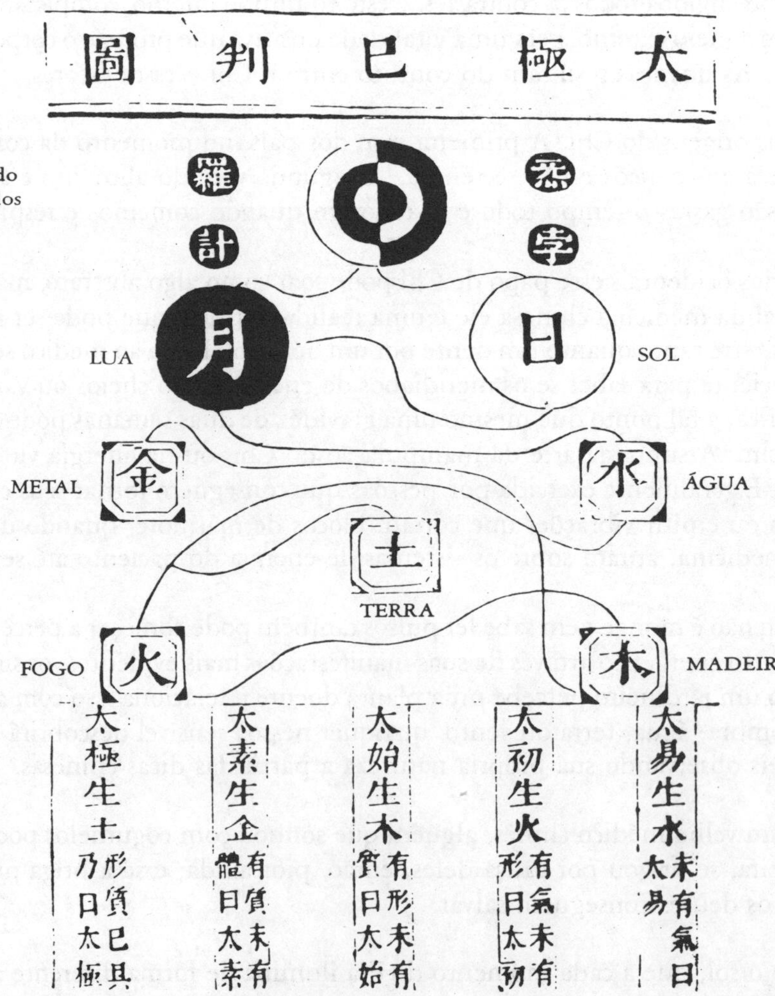

O T'ai Chi se subdividindo nos cinco modos

MADEIRA

Este é o setor onde a energia vital sobe, cresce, ocupa espaço, procura abrir caminho para obter um lugar ao sol — exatamente como uma árvore que brota na primavera.

Nós também somos árvores: nossos pés as raízes, nossos membros os galhos e ramos, nosso tronco o tronco. Madeira fluindo dentro de nós proporciona flexibilidade aos músculos e às articulações, de modo que nossa postura seja ereta e possamos nos mover com firmeza. Uma árvore não se curva com facilidade; firma suas raízes no chão e assim não tomba; pode oscilar sob a pressão do vento e até vergar, mas dificilmente quebra. Quando adulta dá flores e frutos, suas sementes se espalham para produzir novas árvores, e vive então para sempre.

Nós firmamos os pés na terra, mantemos a postura ereta e crescemos durante a vida. Qualquer problema ligado a membros, músculos e articulações mostra desequilíbrio em Madeira, desde um reles mau jeito até uma encrenca na coluna. Tombos, então, nem se fala: a raiz está fraca, o movimento de cair encontra o chão em vez do céu, o desenvolvimento crescente de Madeira foi sabotado.

Os olhos são extremamente sensíveis ao estado do fígado e da vesícula, portanto do processo Madeira. Quando alguém bebe muito álcool o branco dos olhos fica vermelho, sinal de fígado congestionado; a maconha também deixa os olhos vermelhos, porque seu princípio ativo intoxica o fígado; a icterícia e a hepatite, em que há um derrame de bile, aparecem no amarelo dos olhos. Terçóis e pequenas espinhas nas pálpebras indicam sobrecarga na vesícula. Olhos coçando, irritados; visão turva; dificuldade de suportar a luz; e até mesmo anomalias óticas, como miopia, hipermetropia e especialmente vista cansada, refletem desgaste em Madeira. A chamada visão interior também é Madeira. Com ela podemos planejar, imaginar, criar, e se quisermos executar o plano a paciência será essencial. Dificuldade de planejar, impaciência e irritação mostram que o fígado e a vesícula não estão exatamente em bom estado.

Junto com os olhos vêm as lágrimas, que são a secreção fluida de Madeira. Lágrimas contidas, lágrimas demais, desencanto com a vida, descrença na própria capacidade de crescimento: desarmonia em Madeira.

Alguém que não suporta o vento, ou que adora; tem sensibilidade excessiva a golpes de ar; não suporta a cor verde, ou então tem dezenas de roupas dessa cor; cujo rosto mostra um leve halo esverdeado; que fala com a voz gritada e sente raiva com freqüência, ou se irrita por qualquer coisinha; que demonstra azedamente suas frustrações e sofre de cansaços prolongados, incluindo ou não dificuldade em manter relações sexuais; que sofre de enxaqueca; alguém cujos tendões inflamam, cujos ligamentos se rompem, cujas costas se curvam, cujos membros se deformam; que entra em pânico, perde a capacidade de julgamento e decisão, tem pensamentos e emoções sem sentido; cujas secreções, sobretudo o suor, têm um cheirinho fétido, rançoso — esse alguém está precisando de cuidados em Madeira.

SOBRE A ALIMENTAÇÃO

O sabor picante tonifica a energia do fígado, o sabor ácido dispersa a energia do fígado, o sabor doce harmoniza a energia do fígado. O sabor pouco ácido tonifica a forma do fígado, o sabor muito ácido e o sabor picante dispersam a forma do fígado.

Que quer dizer isso? Que o fígado tem uma forma, aquela que quando é do boi se corta em bifes, e uma energia, que governa essa forma e todas as outras formas ligadas a Madeira: olhos, músculos, paciência, etc.

Quer dizer também que um pouco de sabor ácido é bom para o fígado, um pouco de sabor picante também, e idem idem um pouco de sabor doce. Mas o muito ácido e o muito picante são péssimos. (Relembrando o Aurélio: tonificar significa fortalecer, revigorar, reforçar, e dispersar significa espalhar, desconcentrar, fazer sair.)

O excesso ou a falta de sabor ácido podem atrapalhar o fígado, a vesícula e ainda a geração de energia para o coração, fragilizando assim os sentimentos; afetar Terra e o sentido de centramento que Terra dá; permitir que Metal entre dominando e trazendo depressões que farão a árvore sentir que está caindo. Um dos problemas mais comuns em Madeira vem de Metal — a bebida alcoólica, que prejudica o fígado.

Para proteger o fígado e a árvore biliar através da alimentação é preciso comer coisas de natureza morna e movimento ascendente, como os brotos e as folhas verdes miúdas de salsa, coentro, cebolinha, manjericão, orégano; alho-poró e alcachofra (cultivados sem agrotóxicos, pois atraem e eliminam as toxinas do solo assim como as do fígado); algas marinhas, que também desintoxicam e são ricas em minerais; beterraba crua, ralada; maxixe, que limpa; legumes cozidos no vapor, mingau de aveia (com água, não leite) temperado com gersal, sopa de cevadinha com cebola e aipo (salsão), pão ou biscoitos de trigo integral; chá de dente-de-leão, chá de boldo, chá de picão. Temperar saladas com limão; tomar caldo de algas com misso; usar molho de soja orgânico em vez de sal; usar um pouco de iogurte ou coalhada caseiros. Evitar as gorduras e comidas fritas ou preparadas com muito óleo; evitar também o excesso de proteínas, tipo carne no almoço e ovos no jantar. De um modo geral, em benefício de todo o sistema energético, as proteínas animais não devem exceder dez a vinte por cento da refeição, num limite de setecentos e cinqüenta gramas por semana.

Como suplementos, extrato de alcachofra e levedo de cerveja podem ser interessantes, e comer fígado é bom para relaxar o fígado. Como, minha senhora? Que o fígado vem cheio das toxinas do animal a quem serviu? Bem, o caso é o seguinte — se for comido em pequena quantidade vai ampliar tanto a capacidade do nosso próprio fígado que ele se livrará facilmente de todas as toxinas em volta; se não for comido, as nossas próprias toxinas, inclusive psíquicas, continuarão soltas pelo sangue. Pequena quantidade: cinqüenta gramas.

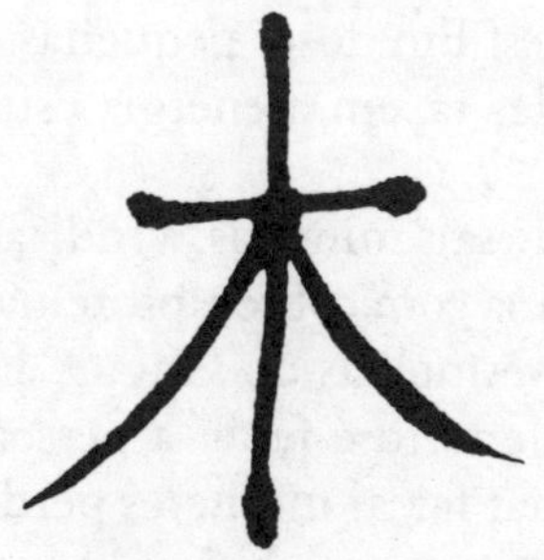

OS CÍRCULOS CONCÊNTRICOS DE MADEIRA

SABOR: ÁCIDO

DIREÇÃO: LESTE

PERÍODO DO DIA: MANHÃ

PERÍODO DO ANO: PRIMAVERA

CLIMA: VENTO

MERIDIANOS: DO FÍGADO E DA VESÍCULA BILIAR

HORÁRIO PRIVILEGIADO: DAS 23 ÀS 3 HORAS

ÓRGÃOS: FÍGADO E VESÍCULA BILIAR

ÓRGÃO SENSÍVEL: OLHOS

GLÂNDULAS ENDÓCRINAS: GÔNADAS (TESTÍCULOS E OVÁRIOS)

PARTES GOVERNADAS: TENDÕES, LIGAMENTOS E MÚSCULOS

ORIFÍCIOS: DOS OLHOS

MANIFESTAÇÕES EXTERNAS: UNHAS

SECREÇÃO FLUIDA: LÁGRIMAS

COMPONENTE BIOQUÍMICO: GORDURA

VITAMINAS: A, B12

MINERAIS: COBRE, FERRO

ATITUDE: PLANEJAMENTO E DECISÃO

PODER GARANTIDO: AUTOCONTROLE

QUALIDADE SUTIL: FACULDADES ESPIRITUAIS

EMOÇÕES NEGATIVAS: RAIVA, IRRITAÇÃO, IMPACIÊNCIA

CHEIRO SUSPEITO: RANÇOSO, FÉTIDO

SOM DA VOZ: GRITADO

COR: VERDE

SONHOS: COM ÁRVORES, COGUMELOS, BRIGAS, CORTES

PLANETA: JÚPITER

FASE DA LUA: QUARTO CRESCENTE

NOTA MUSICAL: LÁ

NÚMERO: 8

MODERADOR: METAL/SABOR PICANTE

Cuidado com os temperos fortes. Em doses pequenas estimulam a circulação da energia do fígado, em doses grandes fazem a energia estagnar.

Para proteger Madeira através de sais minerais, a indicação é usar ferro e cobre na medida certa. Ferro é o que se combina com cobre e proteína para criar hemoglobina, o principal componente das células vermelhas do sangue. Fica estocado no fígado, no baço e na medula óssea. Carência de ferro é fatal: a pessoa fica anêmica, deixa de crescer e sucumbe ao cansaço. Menstruar faz as mulheres perderem mais ferro que os homens. Agora veja só as grandes fontes naturais de ferro — citando apenas, e por ordem de quantidade, as mais ricas que o tão afamado espinafre: cominho, curry, tahine, semente de coentro, açaí, sementes de abóbora, gergelim, pimenta-do-reino, jaca, farinha de soja, páprica, soja, fígado, folha de aipim, trigo em grão, feijão comum, feijão-fradinho, sementes de girassol, grão-de-bico, painço, lentilhas, pinhão, misso, tremoços, folha de batata-doce, gengibre em pó, broto de abóbora, queijo de soja, caruru, gema de ovo de galinha, rim, mastruço, amêndoa, ervilha seca, macarrão soba (de trigo-sarraceno), guando, alfavaca, shoyu, vinagreira, feijão azuki, triguilho, cevada em grão, dendê, ovo de perua, jambu, hortelã, coração, ovo de codorna, amora, ovo de gansa, ovo de pata, acelga, pão integral, jenipapo, castanha de caju, aveia em flocos, castanha-do-pará, pirarucu salgado, espinafre. E cem gramas de espinafre têm duas vezes mais do que a mulher precisa de ferro por dia. Quanto ao cobre: fontes riquíssimas são as ostras e o fígado de boi ou carneiro.

SOBRE O AMBIENTE

Madeira adora um passeio pelos campos verdes, onde possa mover seus membros à vontade e se reimpregnar da energia que lhe é própria. Também se beneficia de ambientes calmos, da convivência com pessoas alegres e criativas, dos momentos de recolhimento e reflexão. Em épocas de crise, cuidado com o esforço ocular: melhor poupar os olhos, lendo ou concentrando a vista no máximo durante vinte minutos de cada vez.

SOBRE A PRIMAVERA

É na primavera que a energia da semente se move em direção ao céu, gerando matéria e fazendo aparecer uma nova forma na superfície da terra. Por isso se diz que a primavera é o começo, a criação.

Na primavera a capacidade de realização do ser humano se exprime através da criatividade. Há uma grande energia sexual no ar, já que primavera é Madeira e o sistema energético do fígado governa os genitais. Se for possível conter (e não esgotar) a sexualidade na primavera, empregando esse impulso em outras atividades criativas, o tônus sexual vai se manter firme o ano inteiro. Aqui o movimento impulsivo da natureza precisa ser temperado pelas nossas atitudes.

Está lá, no livro do Imperador Amarelo: "As paixões fortes reduzem e exaurem as emanações, ao passo que as paixões comedidas as fortalecem e tornam fecundas. A paixão forte consome as suas emanações, ao passo que as emanações alimentam um fogo moderado de desejo. A paixão forte esbanja suas emanações, ao passo que um fogo moderado de desejo engendra vida através das suas emanações."

Tudo o que está em ressonância com Madeira fica mais ativo na primavera, portanto mais sujeito a desequilíbrios — fígado, vesícula, músculos e tendões, olhos, imaginação.

E como a primavera é a estação do sabor ácido, ou seja, ele já está no ar, o mestre-cuca reduz o ácido, aumenta o doce para proteger Terra, aumenta o picante que modera Madeira e nutre Água, e capricha nos alimentos quentes para receber confortavelmente o calor do verão.

SOBRE OS HORÁRIOS PRIVILEGIADOS DA ENERGIA

Como o sol, que a cada momento do dia ilumina de forma diferente as partes de uma casa, a recarga energética atua sobre os nossos cinco setores em diferentes horários. Nesses períodos os sintomas de desequilíbrio melhoram ou pioram.

O horário privilegiado da vesícula biliar vai das onze horas da noite à uma da manhã; o do fígado, da uma às três. O sintoma mais comum de desequilíbrio nessa área é a dificuldade em pegar no sono, ou em dormir profundamente, incluindo ter pesadelos. Há pessoas que preferem exatamente essas horas para escrever, planejar, fazer relatórios, organizar agendas. Considerando que a área da criatividade e da imaginação está justamente sendo recarregada, alguém com deficiência de energia em Madeira teria mesmo mais facilidade para criar neste momento, enquanto alguém com excesso de energia ficaria tão elétrico que não poderia relaxar para dormir.

SOBRE AS CORES

Verde, verdeazul e violeta são as cores de Madeira. Aparecem nas preferências pessoais (roupas, objetos, decoração da casa, cor do carro, lugares de lazer, comidas) e emanam da pele quando há desequilíbrio.

SOBRE AS EMOÇÕES

Um ataque de raiva contra o maldito motorista de ônibus que quase jogou o carro da gente para fora da estrada pode fazer mais mal ao fígado do que três dias de bebedeira. Raiva, irritação, intolerância, mau humor, tudo o que se puder contrapor à idéia de paciência fere os processos Madeira: contrai o fígado, a vesícula, os músculos, o cenho, a imaginação. Entretanto, a raiva contida também faz mal. Que fazer? Parâmetro de equilíbrio: dá e passa. Se der pra extravasar num palavrão só, pra que cinco?

Sentimentos fortes de frustração e apatia ou dificuldade prolongada de criar saídas para uma situação desconfortável são igualmente nocivos. A criatividade é um atributo normal em todas as pessoas; quem a tem em excesso precisa administrar, quem é pouco criativo precisa desenvolver.

SOBRE AS QUALIDADES SUTIS

As faculdades espirituais são a qualidade sutil latente no fígado, e podem ser vistas como a nossa capacidade de lançar antenas no espaço e sintonizar freqüências especiais. Tudo o que é Madeira tem movimento ascendente; quando falamos em elevar os pensamentos estamos propondo o uso concentrado dessa capacidade energética. Mais uma vez aparece aqui a ligação entre o fígado e os olhos. O povo diz que os olhos são a janela da alma; os chineses, que a morada da alma é o fígado.

SOBRE OS PODERES GARANTIDOS

Madeira em harmonia garante a capacidade de coordenação e controle em situações críticas: não deixa você entrar em pânico, desmaiar, enfiar a cara na parede ou o carro no poste, coisas assim. Desorientação, desânimo diante de dificuldades e surtos de desordem motora mostram desarmonia.

FOGO

Neste setor a energia vital é exuberante como o sol do meio-dia em pleno verão, irradiando seu calor em todas as direções. A semente que virou planta na primavera já está soltando botões, flores, frutos. Nós também desabrochamos e nos mostramos ao mundo vestindo pouca roupa, encontrando as pessoas, falando e ouvindo, desfrutando do calor sem pressa, vivendo o que somos sem esforço. Também temos um sol em nós, representado pelo coração, que irradia calor humano através dos sentimentos e produz alegria.

Qualquer problema envolvendo a troca de calor humano revela desequilíbrios em Fogo. Se estamos eufóricos, hiperexcitados, ou fechados e sisudos, e se nossos ouvidos misturam os sons e nossa língua não exprime com facilidade o que queremos dizer, é como se os movimentos normais do coração estivessem desregulados. Para os chineses, coração e mente são a mesma coisa; os pensamentos são movimentos do coração, e o coração é o soberano do corpo/mente/espírito. Fogo em equilíbrio nos dá bons pensamentos, boa vontade, bons sentimentos e facilidade de comunicação, tudo regido por uma alegria essencial à nossa vida.

Alegria, mas não bobeira; quem ri à toa mostra problemas em Fogo. E também quem fica contando piadas compulsivamente, quem dá gargalhadas escandalosas o tempo todo, quem não ri nunca, quem não fala o que sente, quem fala demais, quem não consegue entender nem ser entendido, quem não retém as emoções boas, quem está sempre do contra, quem não tem amigos, quem é gelado.

Fogo traz calor e ativa a circulação sanguínea, deixando a tez corada e fazendo suar. O coração bombeia sangue a vida inteira, num ritmo determinado pelos pulmões, enquanto sua víscera-parceira, o intestino delgado, separa do bolo alimentar os nutrientes que vão enriquecer o sangue e renovar as células.

Dos quatro meridianos de Fogo — coração, intestino delgado, circulação-sexo e triploaquecedor — os dois últimos têm funções muito especiais. Circulação-sexo é um protetor do coração, age como anteparo para que o soberano nunca seja atingido diretamente, e influi muito na nossa vida amorosa e sexual. Triploaquecedor mantém a temperatura dos órgãos internos como ela deve ser, nem quente nem fria, e age nas três alturas do tronco: alta, média e baixa.

Febre, sensação de aridez, falta de calor e de comunicação com as pessoas, frieza amorosa, má circulação, digestão difícil, extremidades frias, sensações de frio e calor despropositadas, veias varicosas, hemorróidas, dificuldade de se colocar em relação ao mundo, confusão de emoções e pensamentos, dificuldade de concluir o que foi iniciado, desejos fortíssimos que atropelam os outros, descaso pelos sentimentos próprios ou alheios: problemas no setor Fogo.

SOBRE A ALIMENTAÇÃO

O sabor salgado tonifica a energia do coração, o sabor doce e o sabor amargo dispersam a energia do coração, o sabor ácido harmoniza a energia do coração. O sabor pouco amargo tonifica a forma do coração; o muito amargo, o doce, o picante e o salgado dispersam a forma do coração.

Como você vê, herói, o coração é sensível!

A fortaleza de Fogo está na capacidade do coração em governar os sentimentos. O excesso ou a deficiência do sabor amargo vão fazer com que a pessoa de Fogo negue o que sente, ou tenha medo de demonstrar, ou ainda que se mostre excitada demais com seus sentimentos e espante as pessoas que atraiu. Isso geralmente se reflete no comportamento sexual, que sem a presença do sentimento deixa Fogo muito frustrado. Nesse caso a libido pode se deslocar para a comida, por exemplo. E Fogo frustrado bufa, grunhe, rosna, resmunga, cria bolsas sob os olhos, mostra sintomas de desarmonia em Água; se bobear, desenvolve cálculos renais; faz depressões respiratórias e problemas de pele; perde o dom da comunicação e se isola para sobreviver.

Para proteger Fogo a tradição do bem comer manda tomar um amargo como digestivo, seja do tipo que for: café, chimarrão, chá preto, chá verde, banchá, chá ou extrato de ervas, infusão amarelo-esverdeada de casquinha de limão (que certa condessa italiana pedia gritando Il mio canarino! Il mio canarino! e deixando a tripulação do barco doida atrás do canarinho da Signora Contessa). Valem também extrato de amêndoas, de jurubeba, bitter, etc. Não esquecer as comidas de sabor amargo: jiló, couve, chicória, serralha, catalona, raditi, escarola, folhas de cenoura e por aí afora. Um pouco de amargo estimula todo o sistema de Fogo; excesso descontrola o ritmo do coração e a temperatura dos órgãos, que reclamam.

O desejo irresistível de comer um chocolate pode estar ligado à necessidade inconsciente de sabor amargo. Chocolate esgota a energia dos rins e tira o apetite por comida. Quem comete excessos na caixa de bombons e quer mudar isso pode começar a consumir mais verduras e chás amargos, como carqueja, para ver como a coisa muda.

Fogo em equilíbrio adora frutos e frutas frescos e suculentos, flores, cores, saladas cruas temperadas só com limão, vegetais bem variados num refogado leve, folhas azedinhas; gosta de tudo o que é feito com milho — broa, biscoitos, pamonha, curau, canjica; se estiver muito ardente, você o acalma com maçã ou pequenas quantidades de leite.

Sódio e potássio são os minerais de Fogo; deles depende o equilíbrio ácido/básico do organismo e também o do volume de fluidos no corpo. Participam ainda das funções nervosas e musculares, e o potássio ativa certas enzimas. Os alimentos com maior concentração de sódio são misso, macarrão soba (de trigo-sarraceno), sardinha, bacalhau, linguado, leites de cabra e de vaca, folha de beterraba, aipo, ostra, carne magra de ca-

O REINO DE FOGO

SABOR: AMARGO

DIREÇÃO: SUL

PERÍODO DO DIA: MEIO-DIA

PERÍODO DO ANO: VERÃO

CLIMA: QUENTE

MERIDIANOS: CIRCULAÇÃO-SEXO E TRIPLOAQUECEDOR

HORÁRIO PRIVILEGIADO: DAS 11 ÀS 15, DAS 19 ÀS 23 HORAS

ÓRGÃOS: CORAÇÃO E INTESTINO DELGADO

ÓRGÃO SENSÍVEL: LÍNGUA

GLÂNDULA ENDÓCRINA: PITUITÁRIA (HIPÓFISE)

PARTES GOVERNADAS: VASOS SANGUÍNEOS

ORIFÍCIOS: OUVIDOS

MANIFESTAÇÃO EXTERNA: TEZ

SECREÇÃO FLUIDA: SUOR

COMPONENTES BIOQUÍMICOS: ELETRÓLITOS, ESTIMULANTES

VITAMINAS: B3, B5, C

MINERAIS: SÓDIO, POTÁSSIO

ATITUDE: ALEGRIA, COMUNICAÇÃO, CALOR HUMANO

PODER GARANTIDO: TRISTEZA, PESAR

QUALIDADE SUTIL: ESPÍRITO DIVINO

EMOÇÕES NEGATIVAS: EUFORIA, HIPEREXCITAÇÃO

CHEIRO SINTOMÁTICO: CHAMUSCADO

SOM DA VOZ: RISONHO

COR: VERMELHA

SONHOS: COM RISOS, FOGO, MEDO, MULTIDÃO

PLANETA: MARTE

FASE DA LUA: CHEIA

NOTA MUSICAL: DÓ

NÚMERO: 7

MODERADOR: ÁGUA/SABOR SALGADO

brito, queijos e carnes; sódio em excesso provoca retenção de líquido e afeta a pressão sanguínea. Os alimentos mais ricos em potássio são tomate, feijões e leguminosas secas, tâmaras, damascos e outras frutas secas, amêndoas, sementes de girassol, alfavaca, salsa, gergelim, amendoim, castanhas-do-pará e de caju, nozes pecãs, folha de beterraba, abacate, banana, broto de bambu, alho, inhame, mariscos, cogumelos, painço, batata-inglesa. Tanto a deficiência quanto o excesso de potássio causam fraqueza muscular, confusão mental e apatia.

SOBRE O AMBIENTE

Tudo o que é solar beneficia Fogo, principalmente tomar sol antes das onze horas da manhã e depois das três da tarde. Flores dentro de casa são presenças solares. Fogo aceso também. Contemplar o sol nascendo, fixar nele os olhos e pensar naquilo que você deseja, herói, costuma dar certo. Contemplar o sol se pondo, fixar nele os olhos e deixar sair o peso do coração, também. Na aurora e no crepúsculo o sol não fere os olhos. A mentalização da luz solar se irradiando do centro do peito ajuda a aquecer o coração, e pode ser enviada para alguém que esteja próximo de você. Um sorriso cheio de sentimento: Fogo. A convivência com pessoas serenamente amorosas é o ideal do coração.

SOBRE O VERÃO

No verão, o sol reina; o coração reina em nós. No verão não se deve forçar nada, pois já não é tempo de criar. A vida alcança sua plenitude exatamente do jeito que está.

Conselhos do Imperador Amarelo para bem viver o verão: "As pessoas não devem se cansar durante o dia nem consentir que seu espírito se irrite. Devem permitir que se desenvolvam as melhores partes de seu corpo e de seu espírito; devem permitir que seu hálito se comunique com o mundo exterior e devem proceder como se amassem tudo o que existe exteriormente."

Procuramos sombra e água fresca — fresca, herói, não gelada: não se trata um extremo com outro. No frio usamos os mornos, no calor usamos os frescos. As bebidas geladas cortam o calor do aquecedor médio (que faz parte do sistema triploaquecedor), provocando a dilatação do estômago e do intestino e favorecendo resfriados e parasitoses intestinais, entre outros inconvenientes. Aliás, na tradição chinesa não se come nada frio: no mínimo os alimentos são passados numa chapa. Peixe cru, jamais, nem carne crua, pois dizem que provoca estagnação a nível dos intestinos. Duas regras de cozinha chinesa explícita, cozinhar sempre e nunca cozinhar muito. É por isso que eles cortam os vegetais em charmosos pedacinhos finos, que cozinham depressa sem perder sabor nem vitaminas.

Mais água: no verão é bom estar perto dela para moderar Fogo. Mais sombra: não comer a céu aberto, seja noite ou dia, e comer pequenas quantidades de cada vez. Evitar o vento; procurar lugares tranqüilos e acalmar o espírito.

Tudo o que está em ressonância com Fogo fica mais ativo no verão, portanto mais sujeito a desequilíbrios. Aqui o sabor amargo já predomina, então a pedida é reduzir o amargo e reforçar os picantes, que protegem Metal, e os salgados, pois Água modera Fogo e nutre Madeira. Caprichando nos alimentos de natureza neutra e fresca, como convém a quem espera o outono.

SOBRE OS HORÁRIOS PRIVILEGIADOS

Neste setor temos quatro horários privilegiados. O do coração é de onze horas da manhã à uma da tarde, o do intestino delgado de uma às três; de sete da noite às nove é o período do meridiano de circulação-sexo e de nove às onze o do triploaquecedor.

No horário do coração os sintomas estranhos podem ser risos, verborragia, hiperexcitação, ou seus contrários: tristeza, pesar, sisudez, mutismo. No horário do intestino delgado pode acontecer a confusão de sentimentos, idéias, vontades e emoções, bem como a confusão de sons nos ouvidos, quando se ouve mas não se entende direito; e ainda a sensação de que a comida não desceu bem: gases, barulhos, impressão de cólica. Das sete horas da noite até as nove os sintomas são ligados ao meridiano de circulação-sexo, que protege o coração, cuida da circulação do sangue e das secreções sexuais; é normal que haja um aumento do bem-estar nesse momento, incluindo a boa disposição para o encontro amoroso. Mas pode haver desequilíbrio e a pulsação do sangue ficar muito rápida ou muito lenta, os olhos estarem inquietos e se movendo muito, com as pupilas dilatadas, e haver tremores nos dedos e na língua. Às nove horas, quando começa o período privilegiado do triploaquecedor, deve aumentar a sensação de conforto que precede o repouso noturno — mas também podem acontecer sensações estranhas de calor ou frio só nos pés, ou só no tronco, ou nos pés e na cabeça, com calafrios ou ondas de suor que trazem um enorme desconforto, e isto revela desequilíbrio.

SOBRE AS EMOÇÕES

O que afeta os processos Fogo é o excesso de prazeres e alegrias, ou, ao contrário, a privação deles; a hiperexcitação das pessoas que gargalham por qualquer coisa, ou o pesar e a amargura das pessoas que lamentam profunda e longamente as perdas naturais da vida. Luto é Fogo recolhido em Água, impedido de viver seus bons sentimentos e ser o habitual portador da alegria. O oposto desse luto é o bufão que morre no meio da gargalhada, o boêmio que tem um enfarte no motel.

SOBRE AS QUALIDADES SUTIS E AS CORES

A qualidade sutil latente no coração é o espírito divino, aquele que se impõe por sua natureza amorosa. Não por coincidência o coração é tão presente nas figuras cristãs, sendo o próprio coração de Maria símbolo do maior poder, e não por acaso as altas figuras do clero reservam para si as cores de Fogo, que são o vermelho e o laranja. Não por acaso Osho, ou Rajneesh, disse a seus discípulos que vestissem os matizes vermelhos, não por coincidência tantos monges vestem o vermelho alaranjado. Todos procuram acentuar em si o espírito divino, trabalhando ou não a transmutação do fluido sexual (Fogo) em fluido espiritual (espírito divino, também Fogo).

SOBRE OS PODERES GARANTIDOS

O poder garantido de Fogo é a tristeza, que nos permite chorar nossas perdas e aprofundar a consciência.

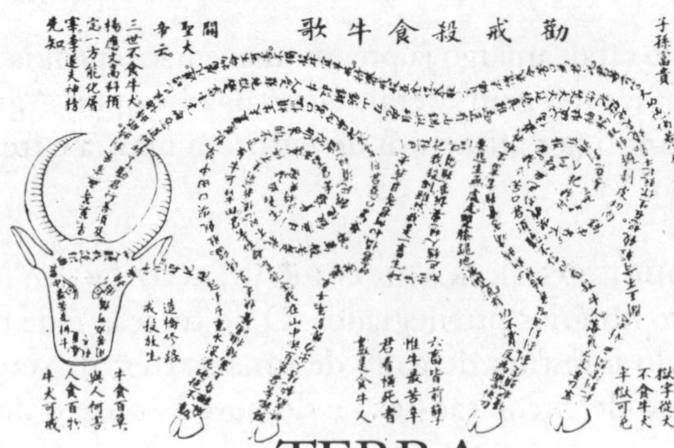

TERRA

Terra é o chão em que pisamos e dela vêm a força, a base, o sustento, nossas principais referências: Mãe Terra. É aqui que a energia vital passa por uma fase de estabilidade, de centralização, antes de voltar ao movimento.

Em nós, Terra é o centro do corpo: timo, estômago, pâncreas e baço, umbigo. É o centro da atividade mental: idéias e opiniões, capacidade de reflexão. É o centro do espaço que nos envolve: carne que reveste nossos ossos e músculos, que nos dá uma aparência e uma identidade corporal. Terra em harmonia faz a pessoa ficar em paz consigo mesma e sentir-se em casa onde quer que esteja, porque na verdade está sempre dentro de sua própria casa/corpo/mente.

A boca, os lábios e tudo o que está envolvido com o comer é Terra. A voz que canta, o sorriso e os beijos são Terra. A simpatia, essa maravilhosa capacidade de se identificar com o centro do outro e se comunicar instantaneamente com ele, é Terra.

Mas racionalidade também é Terra. Uma pessoa racional, crítica, exigente consigo mesma e com os outros, chegada a estabelecer métodos de controle e padrões de comportamento, certamente conta com uma forte influência de Terra. E se o raciocínio se transforma em paranóia, a exigência em suspeita, a crítica em julgamento, é porque está havendo desequilíbrio. A capacidade de reflexão muda para idéia fixa, o comportamento se torna obsessivo e ao menor pretexto a pessoa fica fora de si. A simpatia excessiva, que se traduz em desagradável solicitude, também é sintoma, assim como um modo de conversar em que a pessoa está sempre falando de si mesma, querendo ser o centro das atenções.

Pode ser que essa pessoa esteja com seus ciclos desregulados — ciclos de comer, dormir, menstruar, ir ao banheiro; pode ser que esteja com excesso de peso, ou falta; pode ser que tenha uma predileção pelo amarelo, ou então ódio mortal, e que um leve halo amarelo emane de seu rosto.

SOBRE A ALIMENTAÇÃO

O sabor doce tonifica a energia do baço, o amargo dispersa a energia do baço, o salgado e o amargo harmonizam a energia do baço. O doce tonifica a forma do baço; o ácido, o muito doce, o amargo e o salgado dispersam a forma.

Ou seja, um pouco de doce ajuda; mas bom mesmo para Terra é um tanto de sal e outro de amargo. O fraco de Terra é a boca, seu sabor eleito o doce, e se você abusar, herói,

土

AS RESSONÂNCIAS DE TERRA

SABOR: DOCE

DIREÇÃO: CENTRO

PERÍODO DO DIA: COMEÇO DA TARDE

PERÍODO DO ANO: FINAL DO VERÃO

CLIMA: ÚMIDO

MERIDIANOS: ESTÔMAGO, BAÇO-PÂNCREAS

HORÁRIO PRIVILEGIADO: DAS 7 ÀS 11 HORAS

ÓRGÃOS: ESTÔMAGO, BAÇO, PÂNCREAS

ÓRGÃO SENSÍVEL: BOCA

GLÂNDULA ENDÓCRINA: TIMO

PARTE GOVERNADA: LÁBIOS

ORIFÍCIO: BOCA

MANIFESTAÇÃO EXTERNA: CARNE

SECREÇÃO FLUIDA: SALIVA

COMPONENTE BIOQUÍMICO: CARBOIDRATO

VITAMINAS: B1, B6

MINERAIS: MANGANÊS, ZINCO

ATITUDE: REFLEXÃO, SIMPATIA

PODER GARANTIDO: ARROTAR

QUALIDADE SUTIL: IDÉIAS E OPINIÕES

EMOÇÕES NEGATIVAS: PREOCUPAÇÃO, CRÍTICA, SUSPEITA

CHEIRO SINTOMÁTICO: PERFUMADO, ENJOATIVO

SOM DA VOZ: MELODIOSO

COR: AMARELA

SONHOS: COM FOME, SEDE, MÚSICA, CORPO PESADO, RUÍNAS

PLANETA: SATURNO

FASE DA LUA: DECRESCENTE

NOTA MUSICAL: FÁ

NÚMERO: 5

MODERADOR: MADEIRA/SABOR ÁCIDO

corre o risco de ficar mesquinho, rígido, recalcado, acentuar sua insegurança e passividade, engordar ou emagrecer demais, criar desequilíbrio nos ciclos ligados à reprodução. Um sinal de alerta de Terra é a presença de depressão, melancolia, falta de vitalidade. Outro sinal bom é idéia fixa. Edema, sobretudo nas pernas, indica que a energia dos rins pode estar bloqueada; nesse caso há uma forte propensão para ataques de mau humor e dificuldade em se relacionar, porque os rins não estarão nutrindo o fígado direito. Circulação deficiente nas extremidades, caracterizada por dormência, também é sintoma. Problemas respiratórios ou intestinais, rins fraquinhos e fígado saturado criam uma situação circular de mal-estar, raiva, ressentimento e exigência que por sua vez impede o bom funcionamento do coração, dos ouvidos, da língua e dos sentimentos. Ou seja: um caos.

Zinco é o mineral cuja carência costuma criar graves problemas para Terra, a começar pela fome de doces. Sem zinco a saliva não produz gustina, uma substância essencial ao paladar, e isso dá margem a uma grande insatisfação com a comida. A carência de zinco aparece mais em pessoas que deixaram de comer carne e/ou passaram a comer fibra vegetal em excesso, sobretudo adicionada em forma de fibra de trigo. Acima de uma colher de sopa por dia esse consumo pode impedir a assimilação de micronutrientes como cálcio, zinco e outros. (Não confundir a fibra de trigo com os farelos de trigo e arroz, que têm fibra e mais uma série de nutrientes essenciais, inclusive zinco. Mas mesmo estes não devem superar uma a duas colheres de sopa por dia.) Fontes ricas em zinco, pela ordem: ostras, fígado, carne, frango, peixe, tofu, queijo tipo cheddar, sementes, nozes, lentilhas, feijões, pão e cereais integrais, ovos. Sintoma de carência: manchinhas brancas nas unhas. O outro mineral de Terra é o manganês, presente em cereais integrais (especialmente no arroz), farelo de arroz e de trigo, gema de ovo, nozes, sementes, vegetais verdes e temperos.

Aliás, os temperinhos de cozinha são a melhor forma de acrescentar micronutrientes à comida: louro, coentro, açafrão (aquele pistilo vermelhinho indiano), açafroa (o falso açafrão, uma flor amarela), caril (rizoma da família do gengibre que também se chama açafrão ou açafroa, para aumentar a confusão), hortelã, cominho, alecrim, tomilho, louro, sálvia, manjericão, orégano, alfavaca, kummel, endro, aneto, cravo, canela, cardamomo, etc. O tomilho, por exemplo, contém cem vezes mais cromo do que a carne e quatrocentas vezes mais manganês. O que dá sabor forte aos temperos é justamente a concentração de sais minerais, e é disso que Terra precisa. Sua predominância não é doce e insípida? Aí mesmo é que o tempero aparece!

Terra precisa também dos carboidratos complexos fornecidos por cereais, feijões, tubérculos, raízes, bulbos, frutas, enfim: uma alimentação farta e variada. Cebola, abóbora, nabo, beterraba, maxixe, inhame e outros vegetais redondos favorecem Terra. Também uma pequena quantidade de queijos, frescos ou amarelos, e de iogurte ou coalhada. Seu cereal é o painço. Entre as frutas: maçã, mamão, laranja-lima e outras mais ou menos amarelas, sempre bem mastigadas ou chupadas, não em suco. Refresco de limão e maracujá. Seus chás: a camomila, a erva-doce, a artemísia, a erva-cidreira, o capim-limão; chá de grãos de cevada torrada, café de cevada torrada e moída. Seu adoçante, de preferência, é a maltose (açúcar feito da germinação da cevada).

A moderação no comer é fundamental, porque Terra tende a se equilibrar mastigando e perde a medida sem perceber. Chicletes? Pois é, que sintoma!

SOBRE O AMBIENTE

Terra precisa de contato com a terra para se manter em sintonia; cuidar de uma horta é unir o útil ao agradável. Ativar a oxigenação e a circulação do sangue através de exercícios também é muito importante para Terra; caminhar em ritmo acelerado durante quarenta minutos, pela manhã e à tarde, costuma produzir ótimos efeitos sobre todo o sistema.

SOBRE O FINAL DO VERÃO

Pois é, que estação é esta? Os chineses observaram que os últimos dezoito dias de cada estação são diferentes, como se a energia se estabilizasse antes de mudar de qualidade. No final do verão isto fica mais evidente; parece haver ali uma mistura das quatro estações, com mudanças de tempo imprevistas e uma atividade mais intensa entre as plantas e os insetos. A mensagem poderia ser: o verão acabou, vem aí uma coisa diferente chamada outono, você já notou?

Notar significa se arrumar, se aprumar, recolher a atitude folgada e prestar atenção ao que se passa, interna e externamente; ver se os pés estão no chão e a cabeça em cima do pescoço. Pois tudo o que está em ressonância com Terra, logo com o centro, fica mais ativo no final das estações e portanto mais sujeito a desequilíbrios.

Neste período o sabor doce já está no ar. Então é de bom alvitre reduzir o doce, aumentar o salgado para proteger Água, aumentar o ácido de Madeira que tempera Terra e nutre Fogo, comer de tudo para tonificar a energia mas sempre com moderação. E caprichar nos alimentos de natureza fresca, porque o outono vem aí com seu frescor.

SOBRE OS HORÁRIOS PRIVILEGIADOS

O horário privilegiado do estômago vai das sete às nove horas da manhã. Aflições estomacais, arrotos, dificuldade de aceitar alimentos ou de permanecer sem eles podem ser sintomas de desarmonia. Das nove às onze é o período do baço-pâncreas; falta de atenção, de concentração e de memória neste período, assim como problemas com a voz ou o cantarolar obsessivo, também podem estar revelando alguma coisa.

SOBRE AS EMOÇÕES

O sistema energético do baço-pâncreas, que inclui o estômago, é sensível ao excesso de preocupações, às idéias fixas, ao comportamento obsessivo. Você é ciumento, herói? Acha que a ocasião faz o ladrão, por isso prende a pessoa amada pelo pé? Suspeita, vigia, exige, constrói hipóteses? Depois tem gastrite? Isso é sintoma! Ou você seria do tipo que cria um projeto de personalidade para si mesmo e vive o personagem, sem deixar o eu real aparecer? Cuidado: dá câncer. Processos degenerativos geralmente estão ligados à incapacidade de ser feliz, e ser feliz é... relaxar e deixar que o centro se estabeleça exatamente como é, e que as idéias, opiniões e reflexões sejam sinceras. Se a racionalização estiver atrapalhando esse caminho, herói, o jeito é procurar uma terapia bem gostosa. De preferência corporal, para que a cabecinha não ferva.

SOBRE AS CORES

Amarelo e laranja são as cores de Terra. Uma pessoa cuja tez é amarelada, não em si, mas por um leve halo que emana dela, está mostrando dificuldades de estômago, baço-pâncreas, centro. Descartam-se, evidentemente, as amarelidões provocadas por derrames de bile e por consumo excessivo de cenoura ou abóbora.

SOBRE O PODER GARANTIDO

O poder garantido de Terra é, prosaicamente, arrotar: soltar pela boca o ar que está sobrando no estômago, para que o alimento possa chegar aonde precisa. A falta do arroto pode impedir um bebezinho de se alimentar direito, assim como pode deixar um adulto com prolongada sensação de indigestão e mal-estar. O excesso de arrotos, por outro lado, indica um excesso de energia em Terra, que pode ser conseqüência de um excesso de preocupações. Todo poder garantido que se manifesta fora de hora, em qualquer elemento, é sinal de alarme.

SOBRE A QUALIDADE SUTIL

As idéias e opiniões são a qualidade sutil latente no baço-pâncreas, ou seja, o modo pessoal e intransferível de pensar as coisas, o ponto de vista que só aquela pessoa naquele exato lugar pode ter. É em Terra que cada um de nós está no centro do universo, e só estando no centro assume todo seu poder individual e universal. A isto também poderíamos chamar racionalidade, ou seja, o que distingue o ser humano dos outros animais. E não é curioso que tal qualidade esteja justamente ligada ao estômago, que é onde caem as inimagináveis variedades de comida, bebida e doces com que nos fartamos pela vida afora?

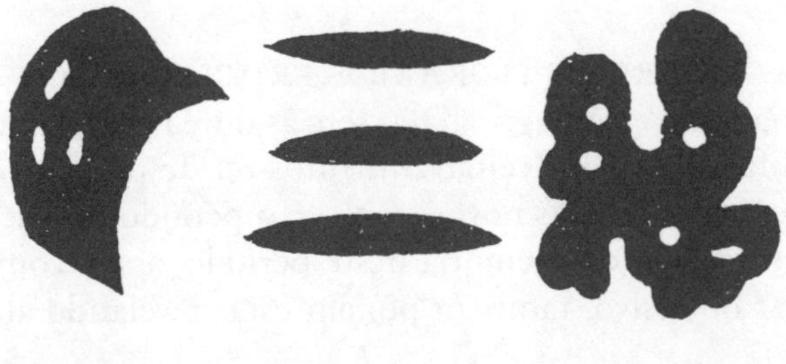

METAL

No outono as folhas secam e caem, os últimos frutos são colhidos, as castanhas e sementes vão para os celeiros garantir as refeições do inverno; muitas ficarão na terra, esperando a primavera para brotar de novo. Neste setor a energia vital é descendente, pesada. O ciclo que mostra crescimento na primavera e exuberância no verão revela agora a maturidade e se encaminha para o fim. É o momento do crepúsculo, quando o sol se põe e a vida diurna se recolhe.

Metal, em nós, representa a eterna colheita. A função dos pulmões e do intestino grosso é assimilar o essencial e descartar o inútil. Sem ar não podemos viver, e sem esvaziar o intestino também não. Essas atividades dão ordem e ritmo a todas as outras, harmonizando as tensões e nos deixando brilhantes feito um cristal.

Na visão simbológica chinesa, os pulmões cuidam do tesouro sem o qual o coração não reina e a estratégia do fígado não é executada. Tudo o que consideramos precioso em termos materiais é Metal: ouro, ferro, cobre, chumbo, diamantes, urânio, quartzo, petróleo. Agentes de riqueza e poder, componentes de todo tipo de indústria leve ou pesada: Metal.

Estamos vivendo uma era Metal. As telecomunicações, os transportes e a informática dependem completamente de Metal, mesmo no que é de plástico, derivado de petróleo. Fios de telefone, de luz, encanamentos, carrocerias de trens, carros e aviões, satélites, naves espaciais, combustíveis, circuitos integrados e a própria capacidade extraordinária de ordenação que a informática oferece: nosso cotidiano, no século vinte, mete a mão no tesouro de Metal. (Não admira que o ar esteja poluído e as pessoas tenham prisão de ventre.)

Diarréia (perda dos recursos) e prisão de ventre (retenção dos excessos) refletem desequilíbrio em Metal, assim como falta de vitalidade, indisposição generalizada, problemas de garganta e de esôfago, certos tipos de paralisia, doenças debilitantes, fragilidade emocional, depressão, melancolia, discurso incoerente, eczema, asma, bronquite, gripe, coriza, nariz entupido, choro freqüente, membros ou costas doloridos. Dormir só de bruços mostra intestinos sempre sobrecarregados, o que predispõe a doenças.

SOBRE A ALIMENTAÇÃO

O sabor ácido tonifica a energia dos pulmões, o sabor picante dispersa a energia dos pulmões, o sabor amargo harmoniza a energia dos pulmões. O pouco picante tonifica a forma dos pulmões, o muito picante e o amargo dispersam a forma.

É comum a gente abusar do sabor picante de Metal em forma de bebidas alcoólicas e temperos fortes, o que evidentemente vai se refletir no fígado e em todas as suas ressonâncias, tais como o humor, os músculos e as articulações, já que Metal corta Madeira. Certamente a natureza mais pesada de Metal faz procurar a leveza complementar; muitas pessoas bebem para estimular a expansividade e a imaginação (Madeira). Olhando em detalhe, esse excesso pode prejudicar gravemente os rins, que são nutridos por Metal, facilitando então a entrada de pensamentos obsessivos vindos de Terra em desequilíbrio (porque no corpo álcool é igual a açúcar), e afetar todo o sistema de Fogo, pela via perversa Metal—Fogo.

Já experimentou tomar rapé? Rapé é tabaco moído, excita o nariz e faz espirrar, dizem que proporcionando um grande bem-estar ao cheirador. Coisa muito picante, com poder de descongestionar. Deve dar um barato aéreo em quem se sente pesado demais.

Metal precisa de raízes como cenoura, nabo comprido, bardana, lótus, batata-baroa (também chamada de batata-salsa ou mandioquinha); dos sabores pungentes e picantes dos temperos e do alho, da cebola, do gengibre, do aipo (salsão); caldos temperados com misso para limpar os pulmões e beneficiar a flora intestinal; chá verde, chá de lótus, banchá para harmonizar o intestino. Seu cereal, o arroz. De preferência integral, porque tem fibras que ajudam a limpar os intestinos. Quase não gosta de açúcar, laticínios, pimentas e farinhas (em forma de macarrão, biscoitos, pães, bolos). Seu adoçante é o mel de abelhas, que é doce e picante, ajuda a fluidificar o muco das vias respiratórias e a descarregar os intestinos; pode ser usado com iogurte — ambos em pequena quantidade — em benefício de Metal, Terra e Madeira. E, por favor, lembre-se de beber água, sim? Metal é seco.

Fósforo, o mineral de Metal, está presente na maior parte dos alimentos ricos em cálcio e proteína. Participa de uma infinidade de processos bioquímicos e ajuda a formar ossos e dentes. Assim como o cálcio, depende de vitamina D para ser absorvido. Deficiência de fósforo produz fraqueza muscular e dores nos ossos. Fontes especialmente ricas são as sementes de abóbora e de gergelim, as nozes e castanhas e todas as leguminosas secas, leia-se feijões; entre os cereais, a aveia e a cevada; entre as carnes, as de pombo e de coelho.

SOBRE O AMBIENTE

Metal se refaz facilmente em contato com as montanhas, as pedras de onde brota água, as cachoeiras, as grutas e grotões. É comum encontrar colecionadores de pedras, cristais ou rochas, e pessoas que precisam usar uma jóia para se sentirem bem.

SOBRE O OUTONO

Aqui as folhas secam e caem; aquelas folhas que nasceram na primavera e atingiram o auge no verão estão indo embora, a árvore vai ficar nua, há um quê de destruição no ar. O impulso criativo está longe, o período de plenitude passou. Agora é a colheita, o armazenamento, e a capacidade de realização do ser humano se exprime no sentido da tranqüilidade, da paz, serena certeza de que somente aceitando as perdas haverá renovação.

A FAMÍLIA DE FENÔMENOS DE METAL

SABOR: PICANTE, ACRE, PUNGENTE

DIREÇÃO: OESTE

PERÍODO DO DIA: ANOITECER

PERÍODO DO ANO: OUTONO

CLIMA: SECO

MERIDIANOS: PULMÃO E INTESTINO GROSSO

HORÁRIO PRIVILEGIADO: DAS 3 ÀS 7 HORAS

ÓRGÃOS: PULMÃO E INTESTINO GROSSO

ÓRGÃO SENSÍVEL: NARIZ

GLÂNDULA ENDÓCRINA: TIRÓIDE

PARTE GOVERNADA: PELE

ORIFÍCIO: NARIZ

MANIFESTAÇÃO EXTERNA: PÊLOS

SECREÇÃO FLUIDA: MUCO

COMPONENTE BIOQUÍMICO: PROTEÍNA

VITAMINA: E

MINERAL: FÓSFORO

ATITUDE: ORDENAÇÃO, RITMO

PODER GARANTIDO: TOSSIR

QUALIDADE SUTIL: ESPÍRITO ANIMAL, INFERIOR

EMOÇÕES NEGATIVAS: MELANCOLIA, DEPRESSÃO

CHEIRO SINTOMÁTICO: PICANTE, NAUSEABUNDO

SOM DA VOZ: SOLUÇANTE, CHOROSO

COR: BRANCA

SONHOS: COM ASSASSINATOS, PAVOR, CHORO, FLUTUAR

PLANETA: VÊNUS

FASE DA LUA: QUARTO MINGUANTE

NOTA MUSICAL: SOL

NÚMERO: 9

MODERADOR: FOGO/SABOR AMARGO

Conselhos do Livro do Imperador Amarelo: "As pessoas devem deitar cedo e levantar cedo, com o cantar do galo. Devem ter o espírito em paz, a fim de minimizarem a punição do outono. Alma e espírito devem unir-se para que a exalação do outono seja tranqüila, e para conservarem seus pulmões puros as pessoas não devem dar expansão aos seus desejos."

O sabor picante já está no ar, o que sugere reduzir o picante, aumentar o ácido para proteger Madeira, aumentar o amargo para temperar Metal e nutrir Terra, e comer um pouquinho de alimentos frios, preparando o corpo para o inverno que virá.

SOBRE OS HORÁRIOS PRIVILEGIADOS

Horário privilegiado dos pulmões: das três às cinco horas da manhã. É o horário da asma, da bronquite, da falta de ar; é quando o fumante sente o peito oprimido, sufocado. É também o horário nobre da meditação dos monges que levam uma vida ordenada, voltada para as energias sutis mais que para a matéria, e note que a meditação é sempre iniciada com práticas respiratórias esotéricas.

Horário privilegiado do intestino grosso: das cinco às sete horas da manhã, quando você acorda e logo a barriga dá de si, eliminando a sobra de matéria. Há pessoas que precisam tomar um café e acender um cigarro para que o peristaltismo intestinal aconteça — o café, amargo, age movendo a energia para baixo, e é Fogo, que regula Metal; o cigarro, que é Metal e Fogo (picante, amargo, queimado e em brasa), vai agir direto sobre os pulmões, que ato contínuo afligem o intestino e ele se mexe.

SOBRE AS EMOÇÕES

Melancolia, depressão, sensação de que a vida não vale a pena, sentimento do amor impossível, nostalgia, desânimo: é por aí que os pulmões são feridos, o que pode ser constatado pela respiração pouco eficiente nessas situações. Respirando mal, nossa troca com o meio externo é ruim — não desintoxicamos o organismo nem renovamos a carga de oxigênio. Como vinte e cinco por cento do oxigênio que entra são gastos pelo cérebro, pouco ar significa menos atividade cerebral, menos capacidade de reação, menos vitalidade física e mental. A respiração é que dá o ritmo dos batimentos cardíacos, portanto a circulação do sangue também sofre; os intestinos tendem a funcionar menos; tudo em nós é prejudicado.

SOBRE A QUALIDADE SUTIL

A qualidade sutil latente nos pulmões é o espírito animal, inferior, mas não menos espírito por causa disso: algo que também pode ser chamado de amor à vida, amor à pele, instinto de sobrevivência, algo que nos dá força nos momentos difíceis e nos faz continuar respirando.

SOBRE O PODER GARANTIDO

O poder garantido de Metal é tossir, forçando dessa forma a saída de ar dos pulmões e do catarro acumulado nas vias respiratórias. Uma tosse nervosa pode estar forçando simbolicamente a saída de emoções acumuladas. Um excesso de catarro no peito, ou uma tosse crônica, são sintomas de deficiência em Metal.

ÁGUA

Aqui a energia vital é fluida, latente, inercial. Como a semente que durante o inverno aguarda, quieta, o momento de brotar, a essência de Água reside na não-ação — daí se falar em fluidez, latência, inércia. A água que simboliza este setor é tão pesada que cai, escorre, flui por qualquer buraquinho; não tem forma própria, conforma-se àquilo que a contém; pode solidificar-se como gelo ou desaparecer em vapor, recondensar-se nuvem e chover gotas que se juntam nas correntezas e nos charcos. Conduz o sal da terra para o mar assim como conduz Metal para Madeira; representa o finício do ciclo de vida, quando o que já foi repousa na estância do vir-a-ser.

Nós também somos Água — quase oitenta por cento do nosso corpo são líquidos. Os rins controlam o nível de água do organismo, a bexiga armazena e elimina o excesso; os rins retêm os minerais, que são Metal, para que o fígado possa aproveitá-los no metabolismo. Através da água nos renovamos constantemente. Sangue, linfa, secreções glandulares, urina, suor, saliva, lágrimas, leite de mãe, nada funciona sem água, com ela tudo flui.

Nós fluímos junto. Em Água temos os rins que são o celeiro da energia vital. Quando nos sentimos letárgicos, sem vontade, sem determinação, desanimados, desistindo diante da menor dificuldade, com medo da vida e das pessoas, com frio, rosnando por qualquer coisa, cheios de ansiedade, angústia e sensação de sufoco, como se o fluxo da vida estivesse cercado de obstáculos e as paredes se fechassem ao nosso redor, estamos mal em Água.

Edemas, tremores, muito cuspe, suor excessivo, atordoamento mental, dores agudas na parte inferior do abdômem, dificuldade em urinar, digestão difícil no estômago, pressão arterial alta ou baixa, cansaço sem motivo aparente e queda de cabelos são sintomas.

Água se adapta facilmente. A bexiga sadia também se adapta facilmente a muita ou pouca urina, durante muito ou pouco tempo. Quando enfrentamos uma situação nova e temos dificuldade de nos adaptar, quem sabe fazemos uma cistite? Xixi na cama: medo, ansiedade, insegurança durante a noite que também é Água, talvez com frio que também é Água.

SOBRE A ALIMENTAÇÃO

O sabor amargo tonifica a energia dos rins, o sabor salgado dispersa a energia dos rins, o sabor picante harmoniza a energia dos rins. O pouco salgado tonifica a forma dos rins; o muito salgado, o doce, o picante e o amargo dispersam a forma.

Os rins, bexiga e órgãos sexuais, por serem especialmente ativos, precisam de atenção: sal e líquidos a menos ou a mais podem prejudicar esse sistema e com isso bagunçar a geração de energia para o fígado (Madeira) ou inibir a energia do coração (Água apaga Fogo). Como o sabor doce modera (ou domina) essa área, é bom prestar atenção nele também — excesso de açúcar aumenta as paranóias, preocupações, suspeitas e julgamentos do herói, que fica inseguro com facilidade e acha que vai fracassar. Heróis precisam confiar muito em sua firmeza de vontade e ambição interior para seguir em frente, e isto só mesmo tendo Água em equilíbrio. O sabor picante, Metal, gera energia para Água, então convém ter picantes por perto. E usar sempre um pouco de amargo para proteger a energia de Fogo.

Dicas: só acrescentar sal à comida conscientemente, e não por hábito; mesma coisa quanto ao consumo de líquidos. Comer raízes como bardana, nabo, cenoura; frutas secas, de preferência as menos doces, como damasco e abacaxi; nozes, amêndoas, avelãs, sementes de girassol, abóbora e gergelim, castanhas cruas, amendoim cru; tofu; feijões de todos os tipos, sempre deixando de molho na véspera e temperando com sementes levemente torradas e moídas, tipo cominho, coentro, mostarda, bem como com ervas aromáticas, cebola, alho e gengibre. Usar pouca quantidade de produtos animais, dando preferência aos peixes pequenos de água salgada (sardinha, manjuba, trilha) e aos peixes de água doce. Nabo comprido ralado e cogumelos shiitake (procure nas lojas japonesas) ajudam a descarregar o excesso de muco e gordura dos rins. Chás: de habu, de feijão azuki, de cabelos de milho.

A comida que harmoniza Água é pouco suculenta, absorve umidade mais do que gera. Se houver retenção de líquido, usar feijão azuki. Atenção à cor da urina: se for clara demais diminua a quantidade de líquido, se for escura aumente, de preferência através de caldos de cebola, aipo, nabo, e sumos de vegetais. Evitar o consumo de sucos de fruta, sorvetes e bebidas geladas no dia-a-dia, porque a natureza de Água já é fria. No inverno: comer rim para tonificar os rins.

Cálcio e magnésio são os minerais de Água. Em excesso, o cálcio pode fazer cálculos renais; em deficiência prejudica os ossos, que são remodelados o tempo todo através de um entra-e-sai de mais ou menos setecentos miligramas de cálcio por dia. Além disso o cálcio dos fluidos corporais e dos tecidos moles regula funções musculares, nervosas, hormonais, enzimáticas e até sanguíneas, como a coagulação do sangue. Para ser bem absorvido precisa de vitamina D, que sintetizamos sob a pele quando tomamos sol, e de movimentos — sabia, herói, que perdemos cálcio quando estamos deitados, dormindo ou nos fazendo de água parada? Farinha de peixe, alga hijiki, folhas de abóbora e caruru, bredo (um tipo de agrião silvestre), sardinha, manjuba, gema, casca de ovo e laticínios são ricos em cálcio. Cãibras e nervosismo podem ser sintomas de deficiência.

Magnésio é o que existe no núcleo da clorofila, e clorofila é a molécula que faz as plantas ficarem verdes. O magnésio complementa e equilibra as propriedades do cálcio e ajuda o corpo a utilizar as vitaminas B, C e E; a deficiência pode provocar doença renal, cãibras e outros sintomas musculares, irritação, confusão mental, síndrome pré-menstrual, problemas no coração. Café, álcool, flúor, diuréticos e drogas químicas podem provocar perdas de magnésio; boas fontes são algas marinhas, sementes em geral e especial-

水

A SÉRIE HARMÔNICA DE ÁGUA

SABOR: SALGADO

DIREÇÃO: NORTE

PERÍODO DO DIA: NOITE

PERÍODO DO ANO: INVERNO

CLIMA: FRIO

MERIDIANOS: RINS E BEXIGA

HORÁRIO PRIVILEGIADO: DAS 15 ÀS 19 HORAS

ÓRGÃOS: RINS E BEXIGA

ÓRGÃO SENSÍVEL: ORELHAS

GLÂNDULAS ENDÓCRINAS: ADRENAIS

PARTES GOVERNADAS: OSSOS, MEDULAS, CÉREBRO

ORIFÍCIOS: GENITAIS, URETRA, ÂNUS

MANIFESTAÇÃO EXTERNA: CABELO

SECREÇÃO FLUIDA: CUSPE

COMPONENTE BIOQUÍMICO: ÁGUA

VITAMINA: D

MINERAIS: MAGNÉSIO, CÁLCIO

ATITUDE: PERSEVERANÇA, FORÇA

PODER GARANTIDO: TREMER

QUALIDADE SUTIL: VONTADE, AMBIÇÃO

EMOÇÃO NEGATIVA: MEDO

CHEIRO SINTOMÁTICO: DE DECOMPOSIÇÃO

SOM DA VOZ: GRUNHIDO, RESMUNGO, BUFO

CORES: AZUL, PRETO

SONHOS: COM ÁGUA, BARCOS, ABISMO

PLANETA: MERCÚRIO

FASE DA LUA: NOVA

NOTA MUSICAL: RÉ

NÚMERO: 6

MODERADOR: TERRA/SABOR DOCE

mente as de gergelim, amêndoas, nozes, castanhas e, evidentemente, folhas bem verdes de tudo quanto for planta. Mesmo porque a clorofila, quando entra no organismo, atrai para o seu núcleo o ferro que estiver disponível e com isso se transforma em glóbulo vermelho do sangue, o tal que transporta oxigênio para todas as células e ajuda o corpo a se limpar — o que os rins muito agradecem.

SOBRE O AMBIENTE

Água adora a contemplação e o repouso, o livre fluir da vida sem planos nem temores, a sensação de que tudo encontra o caminho certo desde que o mundo é mundo e até que um dia se acabe.

SOBRE O INVERNO

Onde o frio do inverno é verdadeiro, a terra se tranca e não produz; a água se expande até solidificar-se em gelo ou neve; todos os animais se abrigam no calor de roupas e tocas, e a semente aguarda sua hora sem se mover. No inverno é essencial economizar energia. Se pode boiar, nadar para quê? Aqui o ser humano exerce sua capacidade de realização no recolhimento, procurando tudo o que precisa dentro de si mesmo.

Diz o livro do Imperador Amarelo: "As pessoas devem deitar cedo e levantar tarde, esperar que o sol nasça. Devem reprimir e ocultar seus desejos, como se não tivessem nenhum objetivo interior, como se estivessem em tudo satisfeitas."

Não se trata o frio com extremo calor. O fogo na lareira é para aquecer a casa, não para se ficar ao pé dele; nem é bom comer alimentos muito quentes ou fazer escalda-pés. O calor se opõe ao frio, o frio suporta o frio — então tomamos um sorvete, pondo para dentro um pouco do que está fora para diminuir o contraste, e nos beneficiamos dos alimentos frios que comemos na estação anterior e que armazenaram essa energia dentro de nós. Entendeu, meu caro Watson?

Como o sabor salgado já está no ar, diminuímos o salgado e aumentamos o amargo (para proteger Fogo) e o doce (para moderar Água e nutrir Metal). Caprichando nos alimentos mornos, já que a primavera vem aí.

SOBRE OS HORÁRIOS PRIVILEGIADOS

Este setor ocupa a nossa tarde. O horário da bexiga vai das três às cinco horas e o dos rins das cinco às sete. A pessoa com dificuldades energéticas aí pode sentir que este é seu período mais fraco, seja devido a sonolência, ansiedade, nervosismo ou a freqüente necessidade de urinar; mas pode sentir também que melhora durante esses horários, o que também indica algum problema.

SOBRE AS EMOÇÕES

Numa palavra: medo. O medo contamina tudo, impede o raciocínio, leva a atitudes impróprias, cheira mal, deixa o corpo tremendo, afeta os ossos e os dentes, inibe a produção de sangue pela medula óssea, anula todas as possibilidades de bem-estar. Ansiedade é uma forma difusa de medo. Recolhimento excessivo, bloqueio emocional, falta de vontade própria e de continuidade podem acabar com os rins.

SOBRE A QUALIDADE SUTIL

A qualidade sutil latente nos rins se traduz por desejo, ambição. Na tradição chinesa os rins são o celeiro da energia ancestral, a semente de onde sairá a planta que dará dez mil sementes. Nossa herança genética, nossa história familiar, nosso nome estão ligados aos rins; a vontade que nos empurra para a frente e nos faz lutar pelo futuro vem daí.

SOBRE O PODER GARANTIDO

O poder garantido de Água é tremer, e o tremor libera a tensão gerada pelo medo, pelas emoções fortes, pelo stress das doenças. Um ataque de tremedeira na hora certa, herói, salva você de incertas complicações mais tarde.

SÓ PARA MULHERES

A tradição chinesa diz que nosso aparelho reprodutor está ligado aos rins, ao baço e ao fígado. O sistema energético dos rins regula os ovários e favorece a produção de sangue pelo sistema energético do baço; o baço regula o sangue, a linfa e a circulação de ambos, está ligado à digestão e aos seios; e o sistema energético do fígado regula o fluxo do sangue e da energia no corpo, e também governa o útero, o sistema nervoso e as emoções. É por isso que a alimentação influi muito em certos aspectos estritamente femininos, como a menstruação.

Para conseguir um fluxo menstrual tranqüilo, sem excessos, cólicas, dores nas costas e tensão pré-menstrual, as dicas chinesas são:

☆ trocar as carnes de boi e de porco, o leite e os ovos fritos por carnes brancas de aves e peixes, ovos quentes, iogurte ou coalhada naturais, nozes, castanhas cruas, sementes, grãos integrais, vegetais variados, brotos e muitas folhas verdes;

☆ antes e durante a menstruação, desintoxicar o organismo com frutas, vegetais e seus sumos; tomar sopas leves de vegetais não-amiláceos (isto é, sem batata e outros tubérculos que tenham amido); comer beterraba crua, que limpa o fígado e combate a anemia;

☆ se houver prisão de ventre, que aumenta as cólicas, comer duas ou três ameixas pretas em jejum pode ajudar (deixar de molho, na véspera, em meio copo de água filtrada);

☆ consumir um pouco mais de cálcio, que geralmente falta ao organismo antes e durante a menstruação; os sucos de folhas e vegetais verdes, quaisquer que sejam, são boas fontes de cálcio.

Segundo o médico ginecologista Henry Bieler, em seu livro Food is your best medicine (Vintage Books, New York, 1965), o que torna dolorosa a menstruação é que o sangue que sai através do útero está carregado de toxinas; estas irritam e inflamam as delicadas membranas mucosas do órgão e aí ocorrem os espasmos que são registrados como dor e cólica — ou apenas congestão, se as toxinas estiverem mais diluídas. Uma vez iniciado o fluxo, a natureza despeja ali o máximo possível de resíduos tóxicos do sangue. Assim, o que deveria ser uma pequena descarga pode virar uma hemorragia, durar dias e deixar a mulher anêmica. Nervosismo, insônia, dor de cabeça e extremo cansaço costumam se seguir. Os rins podem ser prejudicados a ponto de não conseguirem tirar certos venenos de circulação e isto trará um edema mais ou menos sério, evidenciado por aumento de peso.

CORRIMENTO

Se for branco, de consistência tipo saliva ou muco, tem a ver com o meridiano do baço-pâncreas. Esverdeado, grosso, pegajoso e de cheiro forte, tem a ver com o meridiano do fígado. Escuro feito caldo de feijão preto, com cheiro intenso, geralmente acompanhado por dores na parte baixa do abdômen, pontadas na bexiga, vagina inchada e faces coradas, indica Fogo muito quente e abundante. Amarelo, grosso e de cheiro intenso, tem a ver com o Vaso da Concepção, um dos meridianos ímpares do sistema energético. Vermelho, que parece sangue mas não é, e que fica descendo aos pouquinhos, indica calor e umidade de um modo geral; ofende o sangue.

IRREGULARIDADES MENSTRUAIS EM GERAL

Caracterizadas principalmente por dismenorréia (dores durante a menstruação), síndrome pré-menstrual, doenças fibrocísticas, depressão clínica e azedumes do estômago ou do humor, podem ser provocadas por uma estagnação da energia do fígado. Este é um desequilíbrio de origem emocional que costuma se manifestar, mesmo fora do período crítico, como irritabilidade, raiva, frustração e depressão; e a recíproca é verdadeira, ou seja, o excesso dessas emoções também causa estagnação do Chi do fígado. O tratamento dietético, aqui, fica em segundo plano. A dieta pode agravar ou atenuar os sintomas, e até facilitar a cura, mas as terapias de ordem mental é que chegam à raiz do problema.

Para contribuir através da dieta, é bom evitar o que agride o fígado: álcool, café, açúcar e doces açucarados, carnes vermelhas, temperos fortes, aditivos químicos, produtos artificiais, drogas em geral — e, mais que tudo, excesso de comida, mesmo que seja de boa qualidade. Para relaxar o fígado, comer fígado de boi e de galinha, marisco, aipo, algas kelp e nori, gergelim preto, aipo, amora, ameixa; e para ativar a circulação da energia, ou seja, dispersar a estagnação, comer coisas que ativam o Chi — beterraba, repolho, couve-rábano, alho-poró, cebolinha, manjericão, louro, orégano, pimenta-do-reino, endro (dill), alecrim, açafrão, pêssego, litchi, leite de coco. Cuidando de não se exceder nos temperos para não prejudicar mais ainda o fígado: pouco é remédio, muito é veneno.

MIOMAS, CISTOS E CÂNCER CERVICAL

Costumam ser conseqüência de sangue congestionado no baixo ventre, o que por sua vez decorre da estagnação de energia no fígado. Há duas espécies de congestão. A primeira transparece por sintomas como desequilíbrio emocional, amenorréia, dismenorréia, vaginite crônica, prisão de ventre, lábios rachados, manchas escuras na pele, pele seca, compleição amarelada, sede, tendência a ter os pés frios e mesmo a sentir calafrios. A segunda já faz um volume que se pode apalpar no baixo ventre e é conseqüência da primeira.

Na primeira fase a dieta ajuda muito, na segunda nem tanto; de qualquer forma é importante tonificar o sangue, remover a estagnação, melhorar a circulação no aquecedor inferior e evitar comidas que agridam o fígado, já que ele regula o movimento do Chi e o Chi move o sangue.

Berinjela, castanha portuguesa, amasake, açafrão, açafroa, açúcar mascavo e basílico são benéficos neste quadro (Bob Flaws, no livro Prince Wen Hui's cook). É fundamental comer alimentos — cozidos — que tonifiquem o baço-pâncreas, portanto abóbora, cenoura, batata doce, inhame, nabo, cebola, cebolinha; arroz integral, arroz moti, aveia; manteiga; galinha, peru, carneiro, boi e anchova, em pequenas quantidades e sobretudo em caldos ou sopas; pêssegos, morangos e cerejas, sempre cozidos; figos e litchis secos; engrossar cremes e mingaus com araruta e tapioca; temperar com pimenta-do-reino, canela, cardamomo, noz-moscada, gengibre; usar moderadamente mel, melado, malte, maple, açúcar mascavo, açúcar. Evitar a todo custo: saladas cruas, leite, queijo, algas (incluindo ágar-ágar), frutas cítricas e seus sucos, tofu, grãos pouco cozidos, painço, trigo-sarraceno, excesso de sal, de doces e de líquidos às refeições. Imprescindível: comer pouco e mastigar bem.

CONJURAÇÃO

Você não crê em bruxas, mas sem um pouco de magia ninguém vive e os chineses tinham milhares de amuletos específicos para cada necessidade: espantar os maus espíritos, proporcionar vida longa, garantir boa viagem, fazer chover, fazer parar de chover, etcétera. Pois aí vai um diagrama da Cura Celestial recomendado só para mulheres.

SÓ PARA QUEM SE RESFRIA

Resfriado, gripe, alergia, amigdalite, problemas respiratórios: a freqüência com que você apresenta essas mazelas, herói, pode revelar uma síndrome de deficiência do Wei Chi, ainda mais se você tiver medo do frio, extremidades frias, tremor fácil, palidez, fadiga, apatia sexual. O Wei Chi é, digamos, a nossa pelagem energética — uma energia yang, morna e agressiva, que percorre a periferia do corpo durante o dia e se retira para o centro à noite. Ao meio-dia atinge sua culminância. Sua função é proteger os órgãos internos das invasões externas que possam causar doenças.

A saúde do Wei Chi depende do funcionamento correto do estômago; do baço-pâncreas; dos intestinos; dos rins; e finalmente do fígado, que o faz circular.

O tratamento é preventivo. Se você se enquadra na descrição, dê logo uma reformulada em seu programa alimentar e evite as comidas cruas, frescas e frias, eliminativas e diaforéticas (que fazem suar); o que vai lhe dar segurança é uma comida bem nutritiva e muito bem cozida à base de grãos e vegetais, que aqueça o meio interno e seja fácil de digerir, e mais uma pequena quantidade de produtos animais. Capriche na cebolinha verde, que estimula a circulação. Caldo de alho-poró e caldo de cebola com açúcar mascavo (cuja energia é morna) são indicadíssimos para fortalecer o Wei Chi.

Cuidado com sal e com açúcar branco. O Wei Chi é morno e se move para cima e para fora, enquanto o sal é frio e vai para baixo, e o açúcar branco esfria e dispersa a energia dos rins e do aquecedor médio.

Mas atenção — não adianta você fazer nada disso quando já estiver em crise, e é até perigoso, porque pode prender o agente patogênico dentro do corpo ao fortalecer a periferia. Sério mesmo: o tratamento só pode ser preventivo.

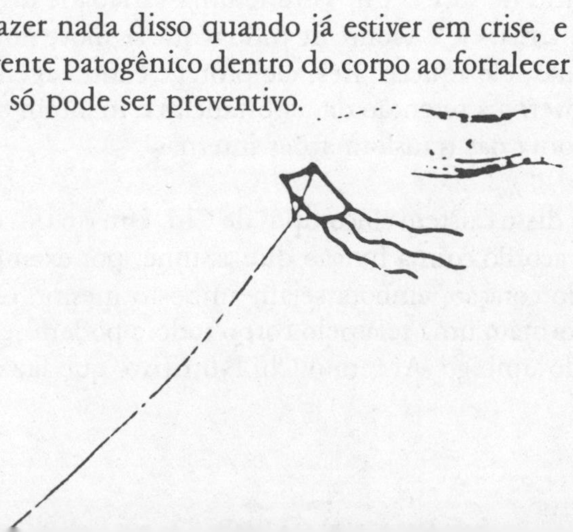

GLOSSÁRIO DO CORPO HUMANO

Ou seria melhor dizer elucidário? Tá lá no Aurélio, é tão mais bonito, e foi feito mesmo sob medida para você ficar mais lúcido a respeito do corpo humano, herói. Tão sob medida que é totalmente ecumênico, misturando a velha China com a ciência moderna; pois o fato é que a medicina chinesa dá muita importância às funções e quase nenhuma à estrutura do corpo humano, o que faz Descartes se remexer no túmulo. Assim, por exemplo, nunca fica muito clara a relação entre o Chi e os vasos sanguíneos — o Tratado do Imperador Amarelo diz que o Chi é associado ao sangue nos vasos, e que o Chi e o sangue estão nos meridianos, mas daí a você definir que o Chi corre nas veias vai uma grande distância. E nem só de Chi vive essa tradição. No mesmo grau de importância básica estão o sangue, o Jing, o Shen e os fluidos, cada qual com sua peculiaridade. Vejamos:

CHI

O significado de Chi pode ser energia vital e pode ser simplesmente energia, mas, como comenta Ted J. Kaptchuk, autor de The web that has no weaver, essas palavras não bastam. "Podemos dizer que tudo o que existe no universo, orgânico e inorgânico, é composto e definido por seu Chi, que pode ser pensado como matéria a ponto de se tornar energia ou como energia a ponto de se tornar matéria. Só que para os chineses essa questão conceitual não se coloca; o Chi é percebido funcionalmente — pelo que faz."

Existe o Chi Normal, que é o Chi do corpo todo. Ele tem três fontes, herói. A primeira são seus pais, que transmitiram a você o Chi Original, ou Pré-natal, na hora da concepção; este Chi é o responsável pela sua constituição e fica armazenado nos rins. A segunda é o Chi dos Grãos, que nasce da digestão da comida. A terceira é o Chi do Ar, extraído pelos pulmões quando respiramos. Esses três fazem uma trança que envolve e permeia você todo, mas todo, todinho.

E dentro de você o Chi assume uma variedade de funções, entre as quais sobressaem cinco. Uma, ele é a fonte de tudo o que se move no corpo, e acompanha esse movimento. Duas, ele aquece. Três, ele protege contra agentes causadores de doenças. Quatro, ele governa a retenção das substâncias e mantém os órgãos no lugar. Cinco, garante a harmonia das transformações internas.

Além disso existem cinco tipos de Chi. Um é o dos órgãos, que se transforma sutilmente de acordo com a função que assume; por exemplo, o Chi do fígado é diferente do Chi do coração, embora sejam ambos o mesmo Chi. Outro é o Chi dos meridianos, que formam uma teia pelo corpo todo e podem ser sentidos nos pulsos das mãos, dos pés, do umbigo. Aí vem o Chi Nutritivo, que faz a ponte entre a comida e o sangue.

Depois o Chi Protetor, ou Wei Chi, que impede as doenças. E finalmente o Chi Ancestral, ou Chi do Peito, que ajuda e regula a respiração e os batimentos cardíacos e portanto está muito ligado aos pulmões e ao coração.

SANGUE

Tem origem na comida. Depois de amadurecida pelo estômago, o baço retira dela uma finíssima essência que parte rumo aos pulmões pela via do Chi. Nessa subida ela já vai se transformando em sangue, e a mutação se consuma quando a nova substância recebe a parte pura do ar. A partir daí o sangue entra nos circuitos do coração, que o faz circular; do fígado, que o armazena nos períodos de repouso; e do baço, que o mantém nos vasos sanguíneos. Ele nutre, renova e umedece o corpo.

JING

Tradução aproximada: essência. É a substância fluida que está bem no íntimo de toda vida orgânica, e que gera as transformações orgânicas. Existe o Jing Pré-natal, que na verdade é a fusão do Jing do pai com o Jing da mãe, e existe o Jing Pós-natal, que vem da parte purificada da comida e dá vitalidade ao Jing Pré-natal. Viu, herói? De novo a comida. Do Jing depende o desenvolvimento da pessoa, a maturação, a capacidade reprodutora, o viço; quem envelhece depressa mostra deficiência de Jing.

O Jing é armazenado pelos rins. Ele e o Chi são interdependentes: enquanto o Chi está associado ao movimento — qualquer movimento, do corpo ou das folhas ao vento — o Jing está associado às transformações que acontecem na quietude. O Chi nasce do Jing, já que o Jing Pré-natal está na raiz da vida, mas o Chi faz a comida se transformar em Jing Pós-natal, proporcionando assim o necessário para que a vida se desenvolva.

SHEN

Shen é um atributo humano por excelência. Tudo o que existe tem Chi e muito do que existe tem Jing, mas só os humanos têm espírito, ou consciência, e isto é Shen. "Shen é associado à força da personalidade humana, à capacidade de pensar, discriminar e escolher apropriadamente, ou, como se diz, Shen é a consciência que brilha nos olhos quando estamos realmente conscientes", escreve Ted Kaptchuk.

O coração armazena o Shen. Agora, herói, a novidade é que para os chineses o Shen não é absolutamente uma coisa abstrata como para nós são o espírito e a consciência. Lembra do papo sobre o sabor, em que se diz que ele é uma partícula infinitesimal da natureza? Pois o Shen também é assim — faz parte do corpo tanto quanto um braço ou um olho, e não significa nada fora do corpo. O Shen define a vontade de viver, o desejo, a relação com o mundo; em desequilíbrio dá uma aparência opaca e pode levar à loucura.

FLUIDOS

Tirando o sangue, os fluidos são todos os outros líquidos orgânicos: xixi, suor, saliva, sucos digestivos, tanto faz se ralos e claros ou espessos e escuros. Eles umedecem, lubrificam e nutrem tudo, inclusive as juntas, o cérebro, as membranas mucosas, os orifícios, a carne, a medula, a pele, o cabelo. Nascem da comida e são regulados pelo Chi de vários órgãos, principalmente dos rins, e aí você vê de novo a interdependência: os fluidos umedecem os órgãos, o Chi dos órgãos regula os fluidos.

MERIDIANOS DE ENERGIA

Em chinês se diz jing-luo, e jing-luo se refere a algo que se está tecendo — uma trama, um tricô; a tradução poderia ser ponto-e-nó, ponto-e-laçada. Você nunca tricotou, herói? É assim, a agulha vai à frente carregando a linha e você da uma laçada em torno dela para prender o ponto. Não se dá ponto sem nó, verdade? Pois então, os chamados meridianos de energia são isso — uma trama de caminhos interligados que o Chi e o sangue percorrem pelo corpo. Ela faz com que todos os órgãos e substâncias se comuniquem entre si e põe o interior em contato com o exterior. Mais: os meridianos regulam o yin e o yang, e é agindo sobre eles que a acupuntura e outras técnicas terapêuticas conseguem atingir os órgãos e as substâncias.

YIN E YANG

A mão lava a outra e as duas lavam o rosto, isto é yin e yang em harmonia. Se yin for excessivo, yang será deficiente; se yang for excessivo, yin será deficiente. Água e Fogo: água demais apaga o fogo, fogo demais faz água evaporar. Água, yin, o frio e pesado, é berço de Fogo, yang, o quente e brilhante — o coração depende dos rins, o yang do corpo depende da boa nutrição do yin. Doenças com sintomas de fraqueza, moleza, frio e preguiça são consideradas yin; se os sintomas forem de excitação, hiperatividade, calor e impulsos fortes, serão consideradas yang.

Yin e yang são sempre relativos um ao outro, se transformam um no outro, dependem um do outro. Se yin é a quietude, e yang o movimento, yin é apenas a possibilidade de que yang aconteça; quando yang acontece é que yin se revela — pela oposição, pelo contraste. Através de yin e yang tudo muda o tempo todo e todas as partes têm relação com o todo, porque eles nunca são formas fixas, são modos do ser. Um exemplo, herói — você está no alto da montanha e contempla o céu azul; ele é tudo o que existe, e está quieto, portanto yin. Mudando ligeiramente de ângulo, uma folhagem entra no quadro — ela é yang, a forma, o que dá contraste e noção de profundidade. Então o vento mexe a folhagem; agora ela é yin, porque estava quieta, e o vento é yang, o que move. Mas na hora em que você põe essa folhagem na água para fazer um chá ela é yang, o princípio ativo que move a energia e traz o sabor para a água, yin. Então você toma o chá e contempla o céu e a terra; percebe que ela responde às influências do céu, por onde correm ventos e nuvens e circulam o sol, a lua e as estrelas; constata finalmente que a terra é yin, e o céu é yang.

A teoria Yin-Yang é a base de toda a filosofia chinesa, que se entrelaça com a medicina, a poesia, as artes, os oráculos, as estratégias de guerra e governo. Ao contrário das definições simplificadoras tipo "yin e yang são forças opostas e complementares", o estudo da tradição chinesa mostra que yin e yang são apenas fases alternadas de um movimento contínuo.

ÓRGÃOS YIN

São os cinco que produzem, transformam, regulam e armazenam as substâncias fundamentais (Chi, sangue, Jing, Shen e fluidos): coração, pulmões, fígado, rins e baço. E algumas vezes o pericárdio, saco fibroso que envolve o coração, também é considerado um órgão yin. Por que órgãos yin? Porque sua função é receptiva, interna, quieta, e também por se relacionarem com a parte mais interna do corpo. São considerados mais importantes que os órgãos yang, com os quais funcionam em dupla ao estabelecer um equilíbrio interior-exterior.

ÓRGÃOS YANG

São os seis que recebem, processam e absorvem da comida aquilo que vai se transformar em substâncias fundamentais, e depois transportam e eliminam o que não serviu: estômago, intestino delgado, intestino grosso, vesícula biliar, bexiga e triploaquecedor. Por que órgãos yang? Porque sua função envolve muito movimento, e também por estarem mais relacionados com a parte exterior do corpo. Xi, herói, esquemas anatômicos? Isso, em chinês antigo, é grego!

ÓRGÃOS CURIOSOS

São chamados assim porque têm características yang na forma e yin nas funções: cérebro, medula, ossos, útero, vasos sanguíneos e vesícula biliar. Pense em quietude e movimento e você vai ver quão realmente curiosos, herói. E a vesícula ganha dois salários.

MADEIRA

FÍGADO

É a maior glândula do corpo. Fica do lado direito e pesa em média um quilo e meio. Recebe os produtos hidrossolúveis da digestão através da veia porta, que o liga ao intestino. Tem funções que não acabam mais: metaboliza carboidratos, proteínas, gorduras, vitaminas e noventa por cento do álcool que se bebe. Produz colesterol, ativa vitaminas, sintetiza proteínas, aminoácidos, uréia, triglicerídeos, ácidos graxos e biliares, glicose e glicogênio. Armazena glicogênio, ácido fólico e as vitaminas A, E, K e B12.

Na concepção chinesa ele é o responsável por um calmo fluir das substâncias através do corpo, e também pela regularidade das atividades corporais. Como um general, comanda o movimento das forças. O fluxo de Chi é governado por ele, portanto tudo o que depende do Chi depende também do fígado. É especialmente importante para a digestão por muitas razões, entre as quais o controle da secreção de bile. Mas sua função mais interessante é a de harmonizar as emoções, proporcionando um ambiente interno gostoso ao manter o movimento sereno e equilibrado. Um exemplo disso é que quando você repousa, herói, ele armazena o sangue; quando levanta e se esforça ele deixa o sangue correr de novo.

METABOLISMO

É a sucessão de trocas químicas que mantêm a vida. Essas trocas podem ser anabólicas, construindo tecidos, ou catabólicas, destruindo.

VESÍCULA BILIAR

Funciona em parceria com o fígado e é responsável pelas decisões. Armazena e concentra a bile, um fluido amarelo-esverdeado, amargo e alcalino que o fígado produz; transfere a bile ao duodeno através do duto biliar; elimina colesterol. A bile contém água, bicarbonato, mucina, lecitina, colesterol, sais e pigmentos; sua principal função é emulsionar as gorduras e as vitaminas lipossolúveis para que possam ser digeridas e absorvidas.

MERIDIANOS MADEIRA

O par de meridianos do fígado começa nos dedões dos pés e termina debaixo da caixa torácica. O par de meridianos da vesícula biliar começa ao lado dos olhos, passeia pelo crânio e desce, ziguezagueando pelo tronco e em queda livre pela perna; termina nos quartos dedos do pé (os vizinhos dos dedinhos).

GÔNADAS

São glândulas que se desenvolvem no ventre do embrião, uma de cada lado. Até a sexta semana de vida apresentam um córtex e uma medula. Na sétima e na oitava semanas, se o embrião for masculino a medula se desenvolve para formar os testículos e o córtex regride; aparecem células diferenciadas e o hormônio andrógino é secretado. Se o embrião for feminino, o córtex se desenvolve formando os ovários e a medula regride.

GORDURAS

Ou lipídeos: algo que o organismo geralmente produz a partir de proteínas e carboidratos. Alguns tipos de gordura essenciais ao organismo têm que vir da alimentação (ácido linoleico, por exemplo), através de óleos de sementes vegetais. Podem ser lipídeos simples, como a banha, a manteiga (triglicerídeos sólidos) e os óleos (triglicerídeos líquidos); podem ser complexos, como as lipoproteínas, os glicolipídeos, os fosfolipídeos; e podem ser derivados de ambos, com nomes como ácidos graxos, esteróides, glicerol e esterol (como no colesterol). As gorduras têm funções estruturais (por exemplo nas membranas celulares), são fontes de energia para muitos tecidos, formam reservas de energia quando se acumulam em forma de triglicerídeos nos tecidos adiposos, apresentam-se como hormônios sexuais e adrenais, e a vitamina D e a bile são esteróis.

OLHOS

O povo diz que são as janelas da alma — um olhar diz mais que mil palavras. Também o estado dos olhos reflete o que se passa no corpo como um todo, e muitos médicos utilizam a iridologia — análise da íris — para diagnosticar e prevenir doenças.

UNHAS

Quando ficam frágeis e quebradiças, revelam desequilíbrio em Madeira.

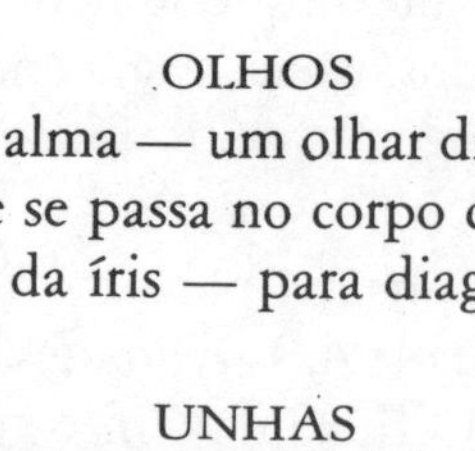

FOGO

CORAÇÃO

É um músculo que bombeia o sangue arterial para que ele circule por todo o corpo através dos vasos sanguíneos; do ponto de vista chinês, ele governa o sangue e os vasos sanguíneos e armazena Shen, a consciência, o espírito, que depende da harmonia do Chi e do sangue para estar bem. Sintomas de Shen perturbado são sono intranqüilo, muitos sonhos, insônia, falta de memória; quando o caso se agrava pode apresentar histeria, comportamento irracional, delírio.

PERICÁRDIO

É uma camada, fibrosa por fora e serosa por dentro, que reveste externamente o coração; ligada ao meridiano de circulação-sexo, protege o coração dos impactos.

INTESTINO DELGADO

É uma tripa fina e toda plissadinha que tem três metros de comprimento mas quando se estica chega a oito. Fica entre o estômago e o intestino grosso e dá uma porção de voltinhas dentro da barriga. Divide-se em partes chamadas duodeno, jejuno e íleo. Suas paredes têm glândulas cujos sucos digestivos e enzimas, junto com os sucos pancreáticos e a bile, completam a digestão da comida. O intestino delgado é que separa o puro do impuro na comida que você come, herói; o puro é extraído e mandado para o baço, enquanto o impuro mais sólido segue rumo ao intestino grosso e o mais líquido para os rins e a bexiga.

PITUITÁRIA (HIPÓFISE)

É uma glândula complexa, dividida entre três partes, que produz o hormônio do crescimento e outros que controlam as funções de alguns órgãos endócrinos. Os ovários, a produção e a ejeção do leite materno dependem diretamente dela.

ELETRÓLITOS E ESTIMULANTES

Os eletrólitos são quaisquer substâncias que, em solução, se dissociam em íons, tornando-se assim capazes de conduzir uma corrente elétrica. Estimulantes, ou estímulos, são fatores que desencadeiam a produção de hormônios pelas glândulas. Os eletrólitos e os estimulantes são os componentes bioquímicos associados a Fogo, portanto à glândula pituitária, que controla as secreções hormonais das outras glândulas; sem eletrólitos e estimulantes isso seria impensável.

MERIDIANOS FOGO

O par de meridianos do coração começa junto às axilas e desce pelo lado interno dos braços, terminando nas unhas dos dedinhos. O par do intestino delgado começa do outro lado das unhas dos dedinhos e sobe pelo lado externo dos braços, percorrendo ombros, pescoço e bochechas até parar no pavilhão da orelha. O par de meridianos de circulação-sexo começa ao lado dos mamilos, sobe contornando as axilas e desce pelo meio da parte interna dos braços até a ponta dos dedos médios. O par do triploaquecedor começa nas pontas dos dedos anelares e sobe pelo meio da parte externa dos braços, atravessa ombros, contorna orelhas e termina junto à ponta das sobrancelhas.

CIRCULAÇÃO-SEXO

Este meridiano também é chamado de governador do coração, porque se coloca à frente do dito cujo, junto com o pericárdio, para protegê-lo dos impactos. Assim controla o fluxo sanguíneo, isto é, o sistema circulatório, e o próprio pulso da vida, incluindo o fluxo que permite a reprodução. Contribui muito para o equilíbrio yin-yang. Naboru Muramoto, um dos autores consultados nesta pesquisa, dá como exemplo o momento em que comemos um pouco de sal. "Poderíamos imaginar, como indica a medicina ocidental, que a primeira reação acontece no estômago. Mas assim que o sal entra na boca o cérebro recebe a mensagem e imediatamente o governador do coração começa a preparar os órgãos para acolherem essa comida. Os rins e o intestino grosso absorvem mais água, o coração bate mais devagar e o estômago fica mais ativo." Como comenta Dianne Connally, outra autora, centenas de sintomas ficam sem diagnóstico na medicina ocidental por falta de conhecimento das funções circulação-sexo e triploaquecedor.

TRIPLOAQUECEDOR

É considerado um órgão que não tem forma mas tem função. Todos os órgãos que lidam com água têm relação com ele — rins, estômago, pulmões, baço, bexiga, intestinos; na verdade, o triploaquecedor organiza um sistema completo a partir desses órgãos, associando a respiração à digestão e à excreção de resíduos. E faz isso através do calor de seus três fogos — o pequeno fogo, do aquecedor inferior, o fogo médio, do aquecedor médio, e o grande fogo, do aquecedor superior — que manobram a água disponível de maneira adequada: vaporizam os pulmões, fazem espuma no estômago e no baço, e um pântano nos rins e nos intestinos.

O pequeno fogo abrange particularmente o fígado e os rins e é sustentado pelo fogo médio; o fogo médio abrange o baço-pâncreas, o estômago e os intestinos e é sustentado pelo grande; o grande fogo abrange o coração, os pulmões e a cabeça e é sustentado pelo pequeno. O fogo médio, na fisiologia energética do organismo e do triploaquecedor, representa o Chi e depende muitíssimo da comida, enquanto os dois outros fogos representam o Jing (essência) e o Shen (espírito) e dependem da energia ancestral (rins) e dos aspectos psicoemocionais (coração). O sintoma de que o triploaquecedor está funcionando muito mal é um círculo branco que aparece em volta da íris.

LÍNGUA

Sem dúvida um dos órgãos mais versáteis do corpo humano, digno de altas reflexões; para a tradição chinesa é um indicador diário do estado de saúde. Sua cor normal é rosa, mas ela pode aparecer vermelha, amarela, esbranquiçada, rachada, inchada, coberta de muco, e tudo isso revela a condição dos sistemas energéticos. Por exemplo, se estiver pálida pode indicar sangue deficiente no coração; se estiver púrpura (cianótica), sangue estagnado no coração.

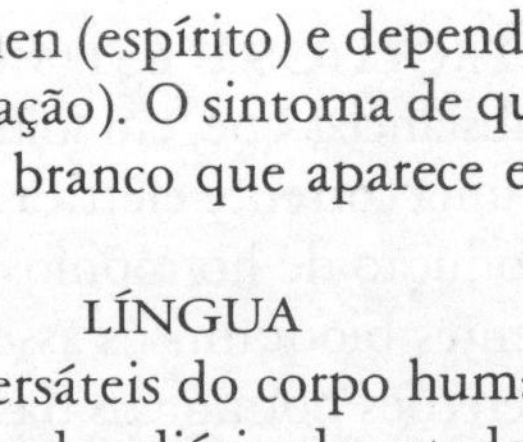

TERRA

ESTÔMAGO

É o primeiro órgão a atuar no processo digestivo depois da boca; recebe o alimento e passa a misturá-lo com os sucos gástricos, formando uma pasta semifluida, chamada quimo, que pouco a pouco vai descendo para ser digerida também pelo intestino delgado. A composição dos sucos gástricos varia conforme o tipo de alimento. Se você gosta de beber quando come, herói, saiba que a presença de açúcar pode inibir o fluxo dos sucos, prejudicando a digestão, e provocar hiperacidez; e que a temperatura fria paralisa o estômago, impedindo todo o processo. Os alimentos ricos em carboidratos — cereais, feijões, tubérculos, pães, massas — precisam ser muito bem mastigados, para chegarem ao estômago desfeitos e meio digeridos pela ação da saliva e dos sucos digestivos. As proteínas e as gorduras são os componentes que demoram mais tempo no estômago, daí a sensação de prolongada saciedade nas pessoas que comem carne e frituras, e a sensação de leveza ou de estômago vazio uma ou duas horas após uma nutritiva refeição vegetariana. Interessante observar que a maioria das pessoas chama de fome a mera sensação de estômago vazio, e não suporta a idéia de permanecer assim até a refeição seguinte; aí come rapidamente qualquer coisa que esteja à mão. Isso prejudica demais o estômago, que se está incomodando é porque provavelmente ainda tem restos mal digeridos da refeição anterior e agradeceria penhoradamente um simples copo de água para lavar o ambiente. Porque fome mesmo, herói, só acontece uns quinze dias depois que a gente pára de comer, e se manifesta muito mais no corpo inteiro do que no estômago. Duvida? Pergunte ao faquir...

Pela tradição chinesa, o estômago recebe e amadurece a comida e os fluidos; a parte pura segue rumo ao baço e vira matéria-prima para o sangue e o Chi, enquanto a parte impura começa sua viagem pelo intestino delgado. A energia do estômago move a comida para baixo; sintomas para cima, como ânsia de vômito e arrotos, revelam um quiproquó lá dentro.

BAÇO

Maior órgão do sistema linfático. Fica do lado esquerdo do corpo, oposto ao fígado. Limpa e filtra a linfa e os líquidos corporais, tirando de circulação bactérias, toxinas e células mortas; produz anticorpos; destrói hemácias velhas e ajuda a formar novas, por isso é considerado um depósito de sangue e de minerais, especialmente ferro.

Em medicina chinesa é o principal órgão da digestão, porque extrai da comida e dos fluidos a parte que se destina a produzir sangue e Chi. Isso lhe dá status de fonte da existência pós-natal. Move a energia para cima, transportando o que transformou. Governa o sangue, não só porque ajuda a produzir como por ser o Chi do baço que mantêm o sangue dentro dos vasos sanguíneos — se estiver deficiente você encontra sangue nas fezes, na urina, no vômito, sob a pele, menorragia, sangramento uterino. Ele ainda leva o Chi e o sangue até os músculos e a carne, portanto aos quatro membros, cuja aparência reflete sua harmonia ou desarmonia; e é o dono do paladar, pois se estiver mal não deixa você distinguir os cinco sabores.

PÂNCREAS

Glândula que produz e manda hormônios (insulina e glucagon) para a corrente sanguínea e sucos digestivos para o duodeno. A insulina permite a absorção de glicose, aminoácidos e triglicerídeos pelos tecidos, a síntese do glicogênio e a acumulação de gordura nos tecidos adiposos. A secreção de insulina é estimulada pelo aumento de glicose ou de aminoácidos no sangue. Para a medicina oriental, o pâncreas e o baço formam um só centro sutil de energia.

SISTEMA LINFÁTICO

Faz parte do sistema circulatório e transporta em seus vasos um líquido claro composto principalmente de células brancas. Conta ainda com capilares, dutos e trinta e dois pares de gânglios, além do baço, do timo e das amígdalas.

AMÍGDALAS

As amígdalas são um posto avançado do sistema linfático, onde o excesso de resíduos orgânicos indesejáveis se deposita para ser eliminado pela boca. Quando a quantidade de resíduos é muito grande, as amígdalas formam mais células brancas para enfrentar bactérias nocivas que possam se desenvolver, e os minerais disponíveis no corpo são atraídos para essa região a fim de neutralizar a descarga de ácidos que ocorre. É a isto que chamam amigdalite, como se as amígdalas estivessem doentes; muitos médicos ocidentais indicam antibióticos e amputação nesses casos, sem compreender que o organismo está apenas pedindo para ser reequilibrado através de melhores tratos.

TIMO

Glândula que fica no meio do peito, atrás da parte superior do esterno; amadurece os linfócitos, produz hormônios e é de vital importância no início da vida, quando precisamos de mais defesas. Passada a primeira infância a atividade do timo se reduz, mas continua sendo importantíssima na função de identificar e destruir vírus, bactérias nocivas e células defeituosas que tendem a se reproduzir. Segundo pesquisas científicas, o timo pode ser ativado através de pequenas pancadas no peito, bem onde se toca quando se diz Eu, onde se bate ao dizer Mea culpa. (Ler os livros Seu corpo não mente, de John Diamond, Editora Record, e Didó, o curandeiro, desta que vos escreve.)

MERIDIANOS TERRA

O par de meridianos do estômago começa no rosto, debaixo dos olhos, e desce pela frente do corpo todo até terminar nos segundos dedos dos pés. O par do baço-pâncreas começa nos dedões dos pés e sobe pela parte interna das pernas, terminando debaixo dos braços, entre as costelas.

CARBOIDRATOS

Ou hidratos de carbono: são compostos orgânicos de carbono, hidrogênio e oxigênio. Na alimentação eles incluem amidos, glicogênio, dextrinas e açúcares que podemos digerir com nossas próprias enzimas e usar como fonte de energia; as fibras dietéticas também são carboidratos, mas estes não conseguimos digerir e apenas utilizamos no bolo fecal. É importante distinguir os carboidratos complexos, obtidos via alimentos integrais, dos carboidratos simples, presentes nos cereais, farinhas e açúcares refinados, bem como nos produtos industrializados. Os integrais contêm fibras e micronutrientes que acrescentam vida à energia, enquanto os simples muitas vezes precisam tirar essa vida para serem processados.

METAL

PULMÕES

Os pulmões governam a respiração e a respiração influi sobre todos os órgãos e sistemas do corpo. Sem ar não há oxigênio, sem oxigênio o cérebro morre e o corpo perde a coordenação. O cérebro sozinho consome vinte e cinco por cento de todo o oxigênio disponível.

Para os chineses, os pulmões governam o Chi — exatamente porque governam a respiração. Ela traz para dentro o Chi do Ar, num movimento que desce pelo corpo todo, e a expiração expulsa o ar impuro, num movimento que dispersa a energia. Há também o fato de que é nos pulmões que o interior do corpo entra em contato direto com o exterior, milhares de vezes por dia, fazendo trocas incessantes e muito necessárias. E, ainda, a função dos pulmões é ligadíssima ao Chi do peito, que por sua vez é ligadíssimo ao Chi e ao sangue do corpo todo; se não houver harmonia nos pulmões, o Chi pode estagnar ou se tornar deficiente em qualquer parte do corpo.

A tradição diz também que os pulmões movem e ajustam os canais de água. Ted Kaptchuk explica como é esse papel que eles têm no movimento e na transformação da água no corpo. "Eles movem a água nas mesmas duas direções em que movem o Chi. No movimento descendente liquefazem o vapor de água e o levam até os rins; no movimento que dispersa fazem o vapor circular e penetrar no corpo, particularmente na pele e nos poros. A medicina chinesa afirma que a água em forma líquida desce, em forma de vapor circula ou sobe. Por isso resumem dizendo que os pulmões são a origem superior da água."

Daí que desarmonia nessa função descendente dos pulmões pode dar em edemas, principalmente na parte superior do corpo, e em problemas urinários; desarmonia na função disseminadora traz problemas com a transpiração.

INTESTINO GROSSO

É uma tripa grossa de um metro e meio a dois de comprimento, fica entre o intestino delgado e o ânus e tem duas partes: o cólon e o reto. O cólon, por sua vez, tem três estágios — ascendente, transverso e descendente — que contornam o umbigo, da direita para a esquerda. Uma boa massagem na barriga, seguindo a direção correta, pode fazer com que fezes acumuladas se soltem e sejam eliminadas. O movimento natural do intestino grosso é descendente e sua função é conduzir para fora as partes turvas da comida e dos fluidos, ao mesmo tempo em que absorve a água disponível.

PERISTALTISMO INTESTINAL

Ondas de contração e relaxamento que percorrem as paredes intestinais fazendo o bolo fecal se mover para baixo.

TIRÓIDE

É a glândula que regula o nível metabólico dos tecidos. Seus hormônios estimulam o consumo de oxigênio pela maior parte das células do corpo, ajudam a fazer o metabolismo de carboidratos e gorduras e são fundamentais para o crescimento e o amadurecimento do ser. Sua função é controlada pelos hormônios produzidos pela glândula pituitária. Junto da tiróide, funcionando em harmonia, estão as pequenas glândulas paratiróides, geralmente quatro, cujos hormônios regulam o metabolismo de minerais como cálcio e fósforo.

PELE

A pele lembra o triploaquecedor pela semelhança da função: enquanto ele regula a temperatura dos órgãos aquecendo, ela regula refrescando pelo suor. Como os pulmões, absorve oxigênio diretamente do ar; como os rins, elimina do corpo os resíduos indesejáveis e o excesso de líquido. A composição química do suor é parecida com a da urina. A pele é governada pelos pulmões, que regulam a sua umidade, a transpiração e a resistência a influências externas perniciosas; estas funções também dependem do Chi protetor, o Wei Chi, que por sua vez depende da função disseminadora dos pulmões.

MERIDIANOS METAL

O par de meridianos dos pulmões começa no alto do tórax, perto da clavícula, e desce pela parte interna dos braços até os polegares. O par de meridianos do intestino grosso começa na ponta dos dedos indicadores, sobe pela parte externa do braço, atravessa ombros, pescoço e mandíbula e acaba ao lado das narinas — exatamente onde acontecem as sinusites.

ÁGUA

RINS

Eles são dois, um de cada lado do corpo. Regulam a quantidade de água no organismo e o equilíbrio de sódio, potássio, magnésio e íons de hidrogênio; produzem em média um litro e meio de urina por dia, na qual despejam uréia, ácido úrico, creatinina e outros resíduos do metabolismo, e ainda os excessos de micronutrientes como sódio, potássio, cálcio, cloro, fosfato, vitamina C, etc. Ativam a vitamina D, estimulam a produção de sangue pela medula óssea, a síntese de renina e a degradação dos hormônios.

Em medicina chinesa, o aspecto mais importante dos rins é o fato de que eles armazenam Jing, a essência, a energia ancestral, "a substância mais diretamente associada à vida em si; é a fonte da vida e do desenvolvimento individual", diz Ted Kaptchuk, e mais adiante afirma que Jing é o potencial de diferenciação em yin e yang. Como todos os órgãos precisam de Jing, a harmonia dos rins é essencial ao bom funcionamento do corpo e por isso a tradição os define como raiz da vida, mansão do fogo e da água, residência do yin e do yang, canal da morte e da vida.

E os rins governam todos os processos da água, mas a coisa toda é assim: o estômago recebe os líquidos, começa a separar o puro do impuro; o impuro segue para o intestino, e do puro o baço extrai a essência que, vaporizada, sobe para os pulmões. Os pulmões fazem essa essência circular pelo corpo, mas liquefaz o que se torna impuro na viagem e manda para os rins; os rins novamente separam o puro do impuro, este vai para a bexiga e aquele, vaporizado, sobe de novo para os pulmões.

OSSOS

Eles são o que dá estrutura ao corpo, herói — precisa dizer mais? Dependem diretamente dos rins: são sustentados pela medula, que é produzida e sustentada pelo Jing, que é armazenado pelos rins.

MEDULA

Do ponto de vista chinês, é ela que nutre os ossos — tanto a medula óssea quanto a espinhal. Se for suficiente, os ossos serão fortes; se não for, os ossos serão fracos, quebradiços e não crescerão.

CÉREBRO

Seu nome em chinês é Mar de Medula, porque é gerado por ela. Do cérebro dependem a harmonia dos movimentos corporais e a sensibilidade dos olhos e ouvidos. Diz o Tratado que se o cérebro não for bem nutrido pela medula, perde a coordenação — e aí começam os apitos no ouvido, tremores, tonturas, problemas óticos e estados letárgicos.

BEXIGA

Tem a forma de um pequeno melão; armazena a urina, produzida pelos rins a partir dos fluidos impuros enviados pelos pulmões e pelos dois intestinos, até que ela possa ser eliminada.

ADRENAIS

Estas glândulas, que ficam montadinhas nos rins, são as opostas complementares da pituitária. Têm duas partes bem distintas: a medula e o córtex. Os hormônios da medula são a adrenalina e a noradrenalina, também chamadas de epinefrina e norepinefrina, que ajudam a lidar com situações difíceis, de emergência. Os hormônios do córtex, esteróides, atuam amplamente no metabolismo de carboidratos, gorduras e proteínas, mantêm o equilíbrio de sal e água no corpo e estimulam as funções do ramo parassimpático do sistema nervoso autônomo.

ÁGUA

É essencial à vida, tanto que quase dois terços do corpo humano são água: num corpo de sessenta e cinco quilos circulam quarenta litros de água, sendo vinte e cinco dentro das células e quinze fora, como o sangue. A água entra através da bebida (um litro por dia, em média) e da comida (outro litro), e a oxidação metabólica dos carboidratos, proteínas e gorduras também produz água (um quarto de litro). Pela urina sai um litro e um quarto, pelos pulmões e pela pele um litro, e ainda um pouquinho nas fezes. É o veículo permanente de eliminação de resíduos orgânicos, e sua evaporação pela pele refresca o corpo.

PROTEÍNAS

São grandes moléculas complexas formadas principalmente por aminoácidos, dos quais oito devem estar presentes na alimentação cotidiana e por isso são chamados essenciais: isoleucina, leucina, lisina, metionina, fenilanina, treonina, triptofano e valina, e mais a histidina para as crianças. As proteínas constroem músculos, pele, cabelo, transportam gorduras, minerais e oxigênio e também se apresentam como hormônios e enzimas.

MERIDIANOS ÁGUA

O par de meridianos dos rins começa na planta dos pés, sobe pela parte interna da coxa e depois pelo centro do tronco até a clavícula. O par da bexiga começa junto aos olhos, sobe pela testa, pontua a caixa craniana e desce pelas costas em quatro linhas paralelas, em vez de duas, como os outros; entra na perna pela parte externa e desce até a ponta dos dedinhos dos pés. É o mais longo dos meridianos.

SEXUALIDADE

A vida sexual depende do organismo todo. O desejo vem de Água; os órgãos genitais obedecem a Madeira; Fogo comanda os sentimentos, manda os fluidos necessários e libera a língua e os ouvidos; Metal entra com a pele, os pêlos e o olfato; Terra dá a boca, os lábios, as palavras e os pensamentos.

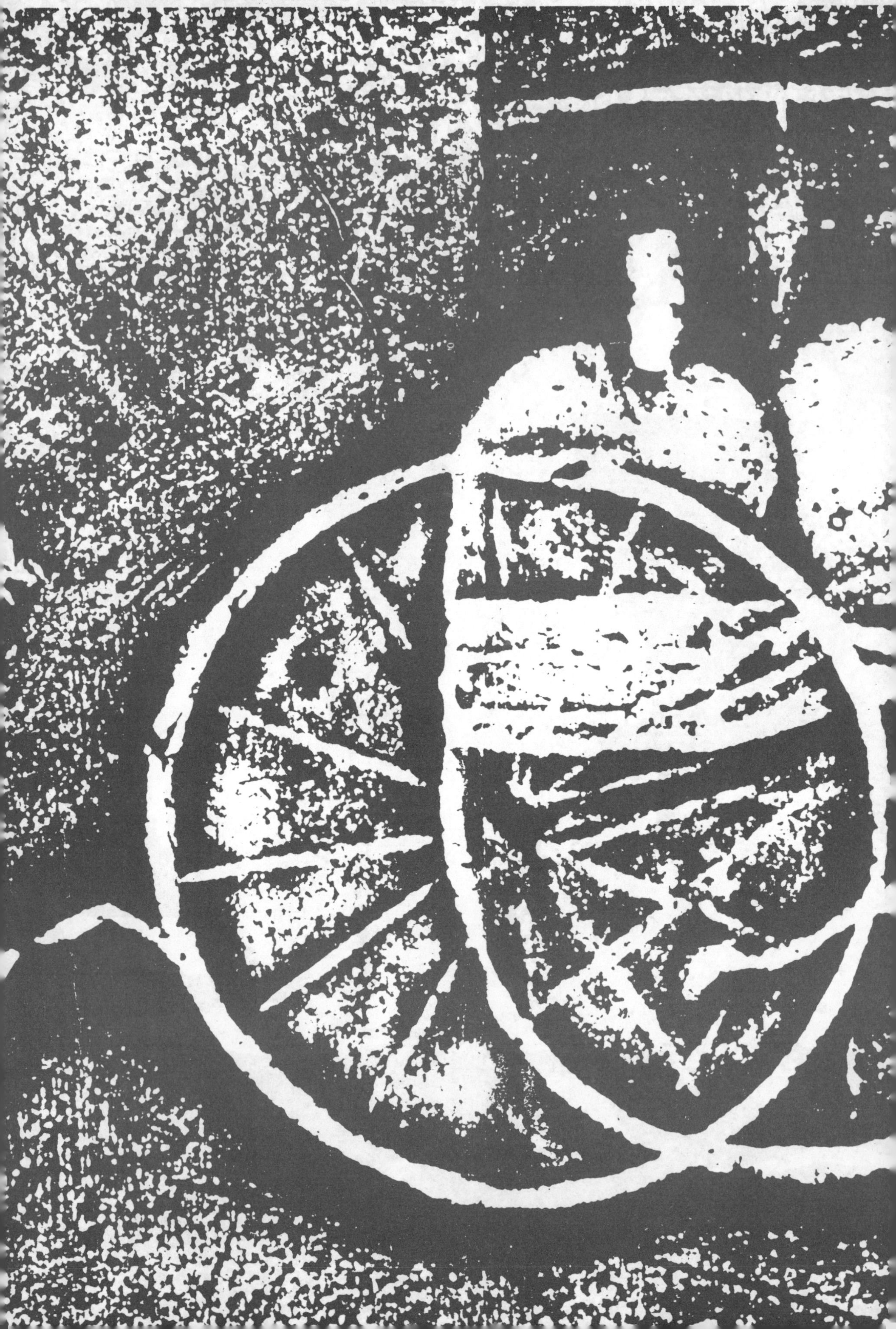

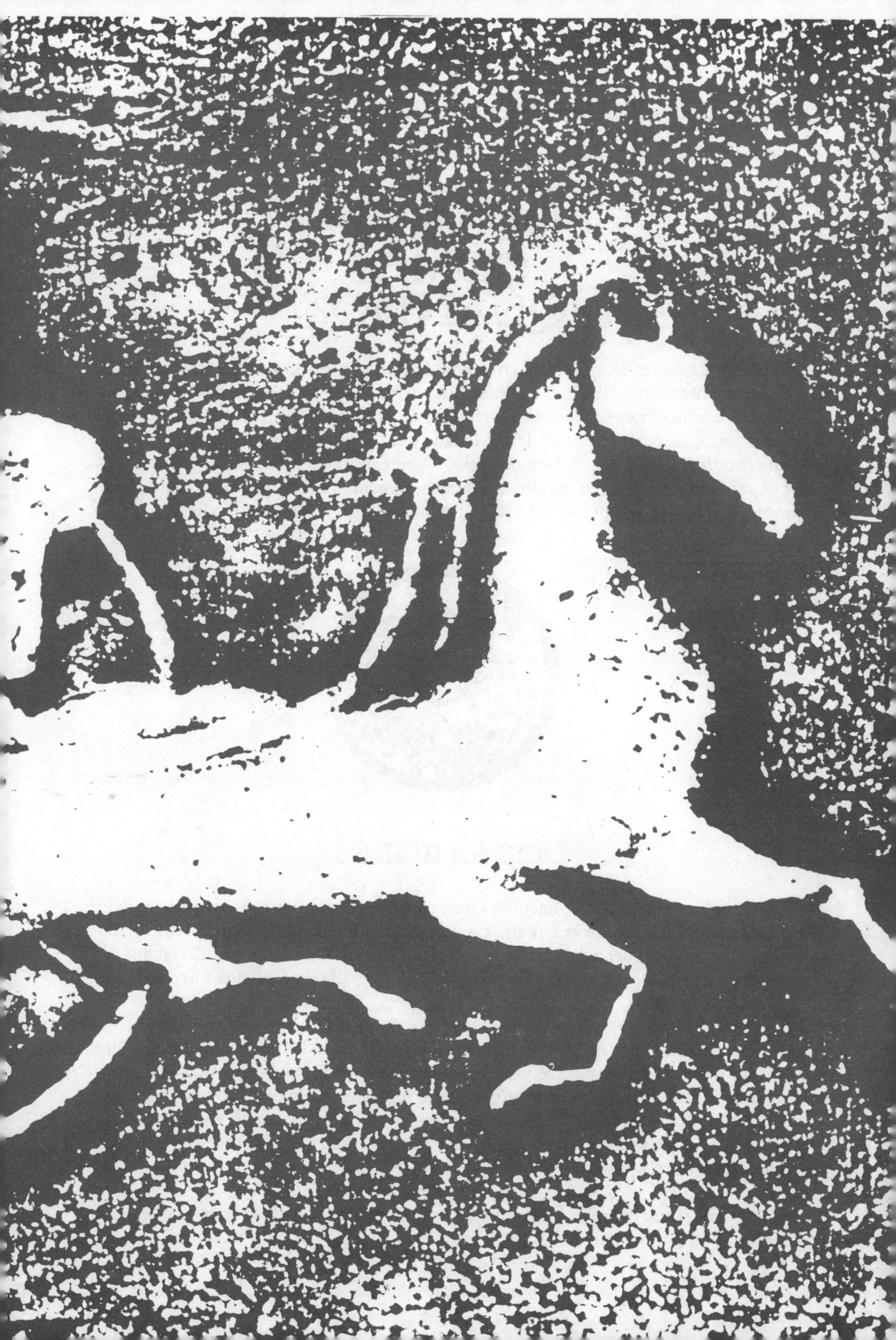

QUANTO?
COMO?
QUANDO?

Bem, herói, a questão agora gira em torno de como escolhemos o que vamos comer. Primeiro critério: qualidade. Qualidade quer dizer alimentos frescos, integrais, de cores vivas e formas bonitas, cheios de energia vital, produzidos e processados de maneira sadia. Segundo critério: variedade. Variedade quer dizer tudo o que for disponível no universo de milagres comestíveis da região — cereais, feijões, raízes, tubérculos, bulbos, verduras, frutos, frutas, farinhas, castanhas, sementes, nozes, laticínios, carnes, ovos, aves, peixes, mel, temperos, bebidas. Critério seguinte: os sabores, é claro.

OS SABORES

"A erva e a vegetação dão origem às cinco cores; nada do que é visível pode exceder a variedade destas cinco cores. A erva e a vegetação também dão origem aos cinco sabores; nada pode exceder a delícia destes sabores. Os desejos humanos não são iguais: por isso toda a gente os tem todos ao seu dispor." (Do Tratado de medicina interna do Imperador Amarelo.)

Para os chineses, sabor é aquilo que guarda um movimento dentro de uma forma. Olhe em volta: tudo tem forma. Dê uma lambida: tudo tem sabor — a porta, o cachorro, aquele vidro de perfume, a escova de cabelo, o telefone, a vassoura. Isso porque o sabor é uma partícula infinitesimal da natureza que entra na construção de todas as formas. E nós, "na intimidade da boca, vamos escolher as formas que se tornarão a nossa forma" (Jean-Marc Eyssalet).

Vale a pena tentar definir, já que o Aurélio coloca os três como sinônimos, as diferenças entre sabor, gosto e paladar?

Paladar é o sentido ligado à boca: certas regiões da língua e do palato distinguem grosseiramente o sabor, e o olfato contribui com os detalhes. Por isso é que você não sente direito o sabor das coisas quando está resfriado, herói.

Gosto é algo mais abrangente, subjetivo, condicionado por moda, cultura, propaganda. Pode até não depender do paladar — não tem aquele papo de que uísque, se vendesse em farmácia, ninguém bebia? E cerveja, que para nós só pode ser gelada enquanto na Inglaterra é boa quente? Gostar é muito pessoal. Gosto não se discute, e muito menos mau gosto.

Já o sabor é uma espécie de código do alimento — algo que marca aquela forma para sempre e tem poder de atrair ou repugnar. Textura, consistência e aparência geralmente ficam em segundo plano; sentindo o sabor já sabemos do que se trata. Sabia, herói, que as palavras sabor e saber têm a mesma origem latina, sapere? Pois é, e mesmo em português se pode dizer, machadianamente, que o creme de cebolas sabe muito bem ou que o chá sabe a jasmim. Assim, saborear ganha o sentido de explorar, conhecer e saber o sabor, entregar-se completamente à fruição do paladar.

Efeitos mais comuns dos sabores:

PICANTES

Ativam a circulação de energia e fazem suar.

DOCES

Acalmam sensações agudas de desconforto e neutralizam os efeitos tóxicos de carnes e peixes.

ÁCIDOS

Podem obstruir os movimentos e assim conter diarréias e suores excessivos; aqui se inclui o sabor adstringente — por exemplo, da goiaba.

SALGADOS

Amaciam a rigidez de músculos e glândulas.

AMARGOS

Reduzem o calor do corpo, drenam fluidos corporais e provocam eliminações intestinais.

Também é bom saber que os sabores podem ainda ser sutis, moderados, fortes ou tóxicos.

OS SABORES SUTIS

São aromáticos e estão sobretudo nas frutas. Podem variar entre o doce e o ácido, são difíceis de definir mas não nos deixam confundir, por exemplo, melão com melancia, laranja com tangerina, pêssego com pêra. Como ninguém vive de sutileza, eles também devem ser usados sutilmente.

OS SABORES MODERADOS

Contribuem para a maior parte da nossa alimentação: estão nos cereais, nos feijões, nos legumes e verduras que comemos todos os dias.

OS SABORES FORTES

Entram em pequenas quantidades para complementar os sabores moderados: estão no alho, na cebola, no rabanete, nos temperos como cominho, cravo, canela, mostarda. Também se encontram na maioria das ervas medicinais. E muitas vezes o que não é forte para uma pessoa pode ser para outra.

OS SABORES TÓXICOS

Podem até não intoxicar, mas são ofensivos e devem ser usados com muita parcimônia.

O sabor tóxico ácido está no vinagre e nos alimentos avinagrados, como certos molhos e conservas.

O sabor tóxico amargo está no café, no cacau, no tabaco fumado, nas coisas queimadas e defumadas.

O sabor tóxico doce está no açúcar e nos alimentos açucarados.

O sabor tóxico picante está no álcool sob todas as formas, na pimenta, nos pimentões e no tabaco, mascado ou fumado.

O sabor tóxico salgado está no sal puro e em tudo o que é feito com muito sal ou conservado nele.

Mas são só os sabores que definem a tendência energética do alimento? Não: a tradição chinesa observa que ele tem também natureza, movimento, elemento e o endereço de um ou mais meridianos no bolso.

A NATUREZA

É a capacidade que os alimentos têm de esquentar ou esfriar a gente. Isso não quer dizer que eles sejam quentes ou frios em si, herói. Por exemplo, um geladíssimo sorvete de chocolate é feito com ingredientes que produzem calor no organismo — leite, cacau, açúcar, gordura; um quentíssimo chá preto tem a natureza energética fria, tanto pela água quanto pelo chá. Por isso é que nos lugares frios acrescentam creme, rum, canela ou outra coisa de natureza quente ao chá, e por isso é que sorvete não refresca.

Os alimentos de natureza morna têm a energia da primavera; os de natureza quente têm a energia do verão; os de natureza fresca têm a energia do outono; os de natureza fria têm a energia do inverno; os de natureza neutra são neutros, ora essa.

A boa política do comer, em qualquer estação, é dar preferência aos alimentos frescos, mornos e neutros, com um pouquinho só de quentes e frios. Não se aconselha confrontar extremos: tomar gelados no alto verão, por exemplo, ou chocolates quentes no inverno.

— Essa é boa!, ri aquela senhora de pouca fé. — Se não vamos tomar sorvete no verão, então quando?

No inverno, minha senhora, no inverno. Eles acham que a gente sempre deve botar pra dentro um pouquinho do que está fora para criar mais harmonia, entende? Por isso também receitam uns golinhos de chá quente no verão, umas gotas de gengibre temperando a salada, coisas assim.

O MOVIMENTO

É a capacidade que cada alimento tem de mover energia em determinadas direções dentro do corpo. Considere que o corpo tem quatro partes — a de cima, a de baixo, a de dentro e a de fora (incluindo aqui a pele).

OS ALIMENTOS QUE AGEM PARA CIMA E PARA FORA

Fazem transpirar, eliminar catarro, vomitar, abrir os orifícios, dispersar o frio e o vento. De um modo geral, mas nem sempre, são os picantes e doces de natureza morna ou quente.

OS ALIMENTOS QUE AGEM PARA BAIXO E PARA DENTRO

Favorecem a purgação, eliminam o calor, ajudam a urinar, facilitam a digestão, eliminam os acúmulos, revertem as contracorrentes de energia, tranqüilizam o espírito, acalmam o vento. De um modo geral, mas nem sempre, são os ácidos, amargos, salgados ou doces, de natureza fresca ou fria.

OS ALIMENTOS QUE AGEM SÓ PARA FORA

Fazem suar e reduzem a febre.

OS ALIMENTOS QUE AGEM SÓ PARA DENTRO

Facilitam os movimentos intestinais e reduzem o inchaço abdominal.

OS ALIMENTOS QUE AGEM SÓ PARA CIMA

Aliviam diarréia, prolapsos do reto e do útero, hemorróidas, estômago caído.

OS ALIMENTOS QUE AGEM SÓ PARA BAIXO

Aliviam vômitos, soluços, asma, tosse.

Aconselha-se tratar os sintomas para cima com alimentos que movem a energia para baixo, e vice-versa; e os sintomas para fora com alimentos que movem a energia para dentro, e vice-versa. Por exemplo: a diarréia é para baixo, o suor excessivo e a ejaculação precoce são para fora, a tosse é para cima, a constipação é para dentro.

Na prática, isto é muito útil para você não comer alguma coisa que vá agir para baixo quando já está com, digamos, diarréia.

TRUQUES

Cozinhar com saquê faz a energia do alimento subir; com gengibre faz a energia ir para fora; com vinagre faz a energia ficar obstrutiva; com sal faz a energia descer; com mel ajuda a lubrificar a comida.

SAQUÊ

É usado para regar ou deixar o alimento de molho quando se prepara na chapa, sem óleo, ou é acrescentado no final da fervura. Faz a energia subir e ajuda muito quando os sintomas são na parte superior do corpo, como dor de cabeça com resfriado.

VINAGRE DE ARROZ

Pode ser usado da mesma forma que o saquê, mas para efeito constritor, combatendo sintomas como diarréia e sangramento.

SUMO DE GENGIBRE

Fortalece a natureza quente dos alimentos para que eles se movam para fora e ajudem a tratar sintomas frios, como gripes. Deve ser acrescentado à sopa segundos antes de tirar do fogo.

SAL

Ajuda a comida a se mover para baixo em caso de dores abdominais e constipação. Dissolver uma colher de sal num copo de água; juntar aos poucos à comida enquanto ela cozinha; deixar toda a água evaporar.

MEL

É bom para intensificar a ação lubrificante da comida, o que ajuda a descarregar os intestinos e a curar a tosse. Pôr algumas colheres de mel na panela; aquecer; juntar água e mexer; juntar a comida (cereais ou vegetais) e cozinhar até ela ficar meio seca e grudada.

AS CARNES

De um modo geral, trazem para a refeição uma energia entre Metal e Água, portanto pesada, por isso devem ser servidas com guarnições tipo leves e ascendentes, Madeira e Fogo; isso quer dizer salsicha com ketchup, salsichão com chucrute, lingüiça com pimenta calabresa, filé com pimenta-do-reino, picadinho com cogumelos, quibe com cebola, alho e hortelã, peixe com limão ou salsa ou coentro, atum com mostarda, frango ao molho de vinho, pato com laranja, peru com abacaxi — pratos que a tradição consagrou.

PEIXES DE ÁGUA DOCE

São Terra; equilibram-se com temperos Madeira como cebolinha, alho-poró, vinagre de arroz, limão, salsa, coentro.

OVOS

Também são Terra, de natureza neutra tendendo a fria; combinam bem com acompanhamentos Madeira e Fogo tais como cevada, milho, chucrute, cogumelos, limão, laranja, vinho, cerveja, chá verde.

OS ELEMENTOS

Não só caracterizam um determinado alimento de forma muito abrangente como também estão presentes na maneira de preparar a comida.

Comida preparada no vapor: reforça a tendência Madeira. Crua, frita, grelhada ou prensada com sal: reforça Fogo. Ligeiramente refogada em pouco óleo: reforça Terra. Assada, cozida na pressão, muito refogada: reforça Metal. Fervida: reforça Água.

OS MERIDIANOS

São atingidos depois que você come a comida, herói, mas começam a agir antes, quando você vai à feira, quando pensa num prato especial, quando percorre a lista de, claro que ninguém é perfeito, congelados. Escolhem com você, escolhem por você, ou melhor: são você. Daí que não é nada estranho você ter vontades súbitas de comer algo que nunca comeu, ou de que não gostava antes. Isso não quer dizer, entretanto, que eles estejam fazendo a escolha certa; meridiano se manifesta, mas não pensa.

AS ESTAÇÕES

Saber sobre elas é sempre muito interessante. Antigamente, herói, quando ainda se amarrava cachorro com lingüiça, tinha época de comer uma coisa e época de comer outra; o que determinava o almoço e o jantar era a colheita. Manga dava mais cedo, pitanga dava mais tarde, o milho saía depois do feijão, e assim por diante. Agora você vai ao mercado a qualquer momento e encontra tudo de todas as épocas e de todas as regiões. Também, antigamente, só se sabia as fofocas dos parentes e da vizinhança, e agora é só ligar a televisão que a fofoca universal senta com a gente na sala. Por isso aí vão algumas dicas para quando você quiser pensar o cardápio de acordo com a energia das estações.

PRIMAVERA

REDUZIR	NORMAL	REFORÇAR	REFORÇAR	NORMAL
ÁCIDO	AMARGO	DOCE	PICANTE	SALGADO

VERÃO

REDUZIR	NORMAL	REFORÇAR	REFORÇAR	NORMAL
AMARGO	DOCE	PICANTE	SALGADO	ÁCIDO

FINAL DO VERÃO

REDUZIR	NORMAL	REFORÇAR	REFORÇAR	NORMAL
DOCE	PICANTE	SALGADO	ÁCIDO	AMARGO

OUTONO

REDUZIR	NORMAL	REFORÇAR	REFORÇAR	NORMAL
PICANTE	SALGADO	ÁCIDO	AMARGO	DOCE

INVERNO

REDUZIR	NORMAL	REFORÇAR	REFORÇAR	NORMAL
SALGADO	ÁCIDO	AMARGO	DOCE	PICANTE

A primavera e o verão são períodos em que eliminamos naturalmente os excessos, tanto através do suor quanto de gripes, resfriados e outras mazelas, porque a energia se move para cima e para fora; quem quiser se desintoxicar através de chás, sucos e dietas eliminativas em geral deve aproveitar esse tempo, pois estará simplesmente enfatizando a ordem natural das coisas. O outono e o inverno são períodos em que recolhemos e armazenamos a energia, que se move para baixo e para dentro, e então é hora de tonificar os órgãos e sistemas através de alimentos fortes, revigorantes, cozidos, que mantenham aceso o fogo interior; fazer dietas desintoxicantes neste período pode enfraquecer muito o organismo.

E OS CARDÁPIOS?

Antes de mais nada, herói, relembremos o dito popular: quem quer faz, quem não quer manda. Ou bem você faz a feira e fica íntimo das mil e uma possibilidades, ou bem vai comer o que os outros resolveram que serve para você. Ah, mas você não tem tempo, não leva jeito, não entende disso? Bobagem. Feiras são lugares encantados — tudo o que há de melhor para comer está lá, lindamente arrumado nas barracas, esbanjando cores, frescores e sabores. É só ter uma sacola que a coisa acontece por si só, e dá para resolver em meia hora. Você vai andando e bate os olhos numa ervilha fresca com casca, a batata-doce faz psiu, os rabanetes saltam do meio das verduras, o agrião parece que foi colhido ainda agora, e de repente há aquele monte de espigas de milho brilhando feito um sol bem ao lado da barraca de peixe. Que é isso?, jiló, que é isso?, maxixe, que é isso?, nabiça, como é que prepara? Feiras tocam a alma, e claro que ir por obrigação e sair arrastando um carrinho pesado é muito chato, mas ainda assim há nas feiras uma alegria só delas. Porque ali está o que irmana todo mundo: comida. Pelos preços mais baratos já se sabe o que é da estação, e isso ajuda a economizar também as pestanas, não é? Pois.

PRIMAVERA

Começam a voltar para a mesa os vegetais ligeiramente cozidos, as sopas leves e rápidas, a variedade maior que a quantidade. Hora de moderar o apetite para não perder tempo com uma interminável digestão. Afinal, você já acumulou o suficiente no outono e no inverno, agora é preciso aliviar. A energia que está no ar é morna e ascendente, de sabor ácido; os alimentos frescos, doces e de movimento neutro são bem-vindos, os quentes e os frios não. Todos os cereais caem bem, em pequena quantidade. Sopa leve e rápida, herói? É aquela que você faz cozinhando meia dúzia de vegetais gostosos com água e uma pitadinha de sal durante uns vinte minutos, e apaga o fogo quando eles ainda estão crocantes e perfumados. Por exemplo: milho verde, cenoura, abobrinha, cebola, alho-poró, aipo. Vegetais ligeiramente cozidos? Salada de vagem, couve-flor, beterraba e rabanete feita no vapor, temperada ainda quente com folhinhas de hortelã, azeite, limão, shoyu. Mais panquecas do que pão: evite o que ficou muito tempo no forno ou no fogo. Prato típico de primavera é o yakisoba, macarrão de trigo-sarraceno com vegetais cortadinhos e ligeiramente refogados — repolho, broto de feijão, cenoura, cogumelo, pimentão, broto de bambu, cebolinha verde: um pouco de tudo. Abrindo a refeição, alguma coisa de sabor doce como cenoura, pepino, abóbora, beterraba, que é para proteger Terra. Na sobremesa, doces e compotas naturais de frutas frescas.

VERÃO

Sabor amargo no ar, energia quente e exuberante, que fazer? Começar a refeição com uma verdura picante como agrião, mostarda, alho-poró, ou com uma saladinha temperada com gotas de gengibre, para proteger Metal; comer pouco com mais freqüência, evitando qualquer tipo de gordura; procurar mais os alimentos frescos e neutros do que os frios, mas um caldo de algas marinhas e aipo temperado com misso e tomado morno pode ser muito agradável. Um pouquinho de picles também. Nem pensar em café, chocolate, manteiga, coisas feitas na brasa ou muito cozidas. Cuidado também com o abuso de melancia, melão e sucos de fruta, e com as bebidas geladas. O negócio é você observar como reage ao calor e ir mexendo na comida de acordo. Se estiver sofrendo muito e com sensação de secura, capriche na dose de tudo o que cria líquidos orgânicos (consulte o capítulo Rápida Referência); se estiver sofrendo por excesso de suor, use um pouco do que reduz umidade e fluidos. Mas é importante suar no verão para eliminar o mal do inverno. E acima de tudo, comer com liberdade. Se não agora, quando?

OUTONO

Nas estações anteriores a energia era de expansão, agora é de recolhimento; era morna e quente, agora é fresca. Você provavelmente deixou sair tudo o que estava acumulado desde o outono anterior, agora precisa acumular de novo para enfrentar o inverno. O sabor picante já está no ar, então você começa a refeição com um pouco de sabor ácido para proteger Madeira e segue com alimentos mais cozidos, de natureza morna. Devagarinho começam a aumentar os produtos animais, um pouquinho aqui, outro ali, para tonificar os órgãos yin e se aquecer profundamente. Por exemplo, o caldo da sopa já pode ser feito com galinha, músculo, peixe, ostra. Atenção também para o que produz fluidos: o outono é seco, e se não houver umidade os pulmões e intestinos sofrem. Defumados? Não se recomendam. Frutas? Melhor ir comendo as secas, especialmente o damasco, que é ácido, e as de natureza morna, que são raras. Maçãs ao forno, recheadas com mel e tahine, fazem muito bem no outono. Observe seu corpo à medida que a temperatura externa vai caindo; se estiver sentindo frio, principalmente nas extremidades, comece a colocar uns pauzinhos de canela no seu mingau matinal e evite comidas cruas. Coma pão de centeio, que é Fogo e tem sabor amargo. Use queijos amarelos.

INVERNO

Aqui você já sabe, herói: é para deixar quase inteiramente de lado os alimentos salgados, de energia fria, e procurar os amargos, mornos, de movimento ascendente, para ativar a circulação do sangue e não virar picolé. Agora as sopas são cozidas muito tempo, os cereais e os legumes quase desmancham; ficam liberadas as gostosuras de forno, que vão trazer calor para dentro; há mais apetite e vontade de fortalecer o corpo, então cabem refeições ligeiramente mais pesadas, com um pouco mais de carnes e gordura. Frituras? Sim, claro, mas com nabo cru raladinho para ajudar a dissolver — detergente biodegradável cem por cento natural. Espetinhos na brasa? Ótimos. Até de fígado de galinha, se você quiser. Café? Cabe. Chá? Cuidado: refresca, então depende muito do que você comeu antes. Se foi truta, por exemplo, cai muito bem.

Então, é isso. Como, herói? Os cardápios? Depende: que foi mesmo que você andou comprando na feira?

SEMELHANTES CURAM SEMELHANTES

Por um sistema de observação que ficou conhecido como Doutrina das Assinaturas, estudiosos de várias regiões da Antiguidade concluíram que similis similibus curantur, em latim que é para ficar mais científico. Assim, é sabido que os feijões, cuja forma se assemelha aos rins, beneficiam os rins; que o inhame e o maxixe, semelhantes a gânglios linfáticos, ajudam a limpar os fluidos do corpo; que as sementes de gergelim, semelhantes aos neurônios, e as nozes, semelhantes ao cérebro, são boas para o sistema nervoso e para a atividade cerebral; que o ginseng, uma raiz que tem a forma de um corpo humano, tonifica e rejuvenesce o corpo humano.

Também as vísceras beneficiam as vísceras. Fígado é bom para o fígado, rim é bom para o rim, e assim por diante. Mas não se deve comer fígado na primavera, senão Madeira fica com excesso de energia; nem coração no verão, para não sobrecarregar Fogo; nem moela no final do verão, para não saturar Terra; nem tripas no outono, para não sufocar Metal. Mas com relação a rim tudo é diferente — os rins tendem a ser deficientes, então um reforço é sempre bem-vindo e você pode comer rim no inverno numa boa. Pouco, herói, é claro.

AS CARNES

A tradição chinesa vê o consumo de carnes como uma necessidade normal de tonificação do Chi e do sangue — sempre em pequena quantidade, de preferência em caldos revigorantes. Mostra que o bom tônus de órgãos como o rim e o fígado proporciona uma boa eliminação de toxinas, tanto de origem animal quanto de origem vegetal, enquanto a falta de tonificação em pessoas que praticam regimes de restrição leva à deficiência de energia nesses órgãos, e conseqüentemente à má eliminação de toxinas naturais.

Como, herói? Que toxinas naturais? As da cenoura, do nabo, da maçã, do melão, do chá, do cravo e da canela, do suco de laranja e do café — de tudo, ora essa. Em doses maiores ou menores todos os alimentos têm lá seus tóxicos, seus agentes cancerígenos, seus veneninhos, e isso é comentado pelo próprio cientista que inventou os testes que revelam essas coisas nos aditivos químicos: "Metade das substâncias artificiais testadas são cancerígenas, e metade das substâncias naturais também. Substâncias que existem na batata causam defeitos congênitos em animais e estão muito mais próximas do nível tóxico do que qualquer pesticida feito pelo homem. As plantas não têm garras, dentes ou sistema imunológico, e não correm; fabricam toxinas para se proteger de fungos, insetos e predadores — entre eles os homens. Em geral, as plantas têm quarenta ou mais defensores químicos." O nome dele, herói, é Bruce Ames, bioquímico, professor da Universidade da Califórnia em Berkeley. Que fecha: "Não acho que isso signifique alto risco de câncer para seres humanos, porque as doses são baixas. O que causa mesmo câncer no homem são outras coisas, como cigarros, dietas ruins e infecções crônicas por vírus."

O CRU
E O COZIDO

Outro princípio de que a tradição chinesa não abre mão é: cozinhar sempre, nunca cozinhar muito. Por quê? Porque a digestão é um processo que exige calor, e esse calor é produzido pelo aquecedor médio, é o famoso fogo digestivo. Então você imagina que esse fogo está aceso e é uma panela com água fervendo; se entra água quente a fervura continua, se entra água fria ela cai — e mais tempo e energia são necessários para que volte a ferver. Um gole de água gelada no meio da refeição já é suficiente para embaraçar o processo. Do ponto de vista preventivo, só deveríamos comer e beber coisas frescas e frias de vez em quando, de modo a manter em bom estado todo o sistema triploaquecedor. E quando se fala em frescas e frias, ou mornas e quentes, isso vale tanto para a temperatura propriamente dita quanto para a natureza energética dos alimentos. Daí o hábito oriental de abrir a refeição com uma sopa quentinha e fechar com um chá idem.

A MÁGICA
PAPA DE ARROZ

Ela pode ser grossa ou rala, cremosa ou cheia de caldo: não importa, desde que seja de arroz cozido durante quatro a seis horas em fogo muito baixo e panela grossa tampada. Uma parte de arroz, seis partes de água — ou mais — e pronto: eis aí um dos alimentos mais medicinais de que se tem notícia.

Facílima de digerir e de assimilar, fortalece a energia geral (o Chi) e o sangue, harmoniza o meridiano triploaquecedor e ajuda a eliminação de toxinas através da urina. Aí sua única contra-indicação: para pessoas que estejam urinando demais, ou seja, mais de três ou quatro vezes por dia e uma vez à noite, a papa de arroz piora tudo por ser diurética. Fora isso, suas possibilidades medicinais são infinitas devido às combinações que permite.

BUDA FAZIA COM LEITE E MEL

E comia dizendo que ela dava dez coisas: vida, beleza, facilidade, força, bexiga limpa, boa digestão, fim da fome, da sede e dos gases, e ainda a bênção do Céu...

COM TRIGO EM GRÃO

Nutre Fogo, beneficia e acalma o coração, refresca, baixa a febre.

COM ARROZ MOTI, OU SÓ DE ARROZ MOTI

Tonifica o meridiano triploaquecedor, reforça a energia geral, recompõe a pessoa que tem indigestão, diarréia e vômitos. À venda nas lojas japonesas.

COM FEIJÃOZINHO VERDE, MOYASHI

Refresca, baixa a febre, e é especialmente boa contra o fogo do verão.

COM FEIJÃO AZUKI

Remove a umidade, portanto os edemas; boa em caso de gota, de retenção de urina ou ausência dela, e em outros problemas de rim e bexiga.

COM INHAME

É nutritiva e tonificante.

COM RABANETE

É digestiva e refresca os órgãos da digestão.

COM CENOURA

É ótima em caso de disenteria crônica e indigestão, evita gases e acalma a tosse.

COM AIPO

Refresca e desintoxica.

COM CEBOLINHA VERDE

Aquece e tonifica, ótima contra diarréia crônica.

COM A PARTE BRANCA DO ALHO-PORÓ

Cura a diarréia fria dos idosos.

COM GENGIBRE SECO

É boa contra deficiência de energia com sintomas de frio no aparelho digestivo como diarréia, anorexia, vômito e indigestão.

COM FUNCHO

Elimina gases.

COM FÍGADO

Trata deficiências do fígado e dos rins, tonificando.

COM RINS

É um tônico geral, mas especialmente dos rins. Útil em casos de impotência, espermatorréia, ejaculação precoce; também contra lumbago e joelhos fracos.

PROPORÇÃO DOS ADITIVOS

Vinte por cento da quantidade de arroz cru, no caso de grãos; parte igual à de arroz cru, no caso de vegetais; metade do total de arroz cru, no caso de vísceras. Sal, herói? Só uma pitadinha.

A papa de arroz predileta de Bob Flaws, um dos autores mais consultados neste trabalho, é para o café da manhã e leva tâmaras vermelhas, gengibre fresco em fatias e mel. "Tâmaras são sedativas e acalmam o espírito", diz ele, "além de fortalecerem a digestão. Gengibre faz circular a energia e o sangue, reforça o yang e aquece a região média do tronco. Mel nutre o coração, acalma o espírito e lubrifica os intestinos. A isto às vezes acrescento nozes para tonificar o yang do rim e nutrir o cérebro, e castanhas para tonificar o yin do rim e fortalecer a essência vital (o Jing)."

Quando for comer a papa de manhã, deixe cozinhando durante a noite, em fogo bem baixinho, sobre uma chapa. Da primeira vez parece esquisito e arriscado — mas tudo tem uma primeira vez, não é mesmo?

A papa de arroz reforça especialmente a energia vital das pessoas de Metal (você vai entender isso lendo a terceira parte do livro, se é que já não leu). Buscando esse reforço, as pessoas de Terra podem fazer com 50% de painço; as pessoas de Fogo podem fazer com 50% de milho verde e 10% de sementes de gergelim; as pessoas de Água podem fazer com 50% de queijo de soja e 10% de feijão azuki; as pessoas de Madeira podem usar partes iguais de arroz, trigo e cevada.

Os bebês, as crianças pequenas e os velhinhos podem tomar só a parte líquida ou cremosa que fica no topo, e a papa pode ser peneirada para bebês e velhinhos cujos intestinos estejam fracos.

A sopa de arroz do Pai José, base da dieta sem dieta do livro Deixa sair (da nossa própria e modesta lavra), é prima-irmã destas papas. Leva cebola, alho, aipo, alho-poró, bertalha e verdinhos frescos.

ARROZ: INTEGRAL OU BRANCO?

A moda do arroz integral nasceu nos anos cinqüenta, quando George Ohsawa e Michio Kushi resolveram divulgar a macrobiótica. Vinham do Japão. Mas nem no Japão, nem em qualquer outro lugar da Ásia, nem em região alguma do mundo onde o prato básico fosse arroz, nunca se comeu o arroz inteiramente integral — assim como nunca se comeu o arroz inteiramente branco. O ideal, eles sabiam, era um arroz semipolido, sessenta ou setenta por cento integral; facílimo de achar no Oriente, onde os comerciantes de cereais faziam o polimento de acordo com a preferência do freguês; só que na América não existiam máquinas para isso, então eles enalteceram o integral mesmo. Só agora, herói, quarenta anos depois, é que os macrobióticos pós-modernos estão levantando a questão e contando a história direito. Porque na verdade o arroz semipolido é muito mais fácil de mastigar e de digerir, mais saboroso, tão nutritivo quanto o integral, e não tem o perigo do excesso de fibras. Que, como você talvez já saiba, são ricas num tal de ácido fítico que impede a assimilação de certos minerais, o que equivale a dizer que cereais integrais são bons só até certo ponto. Demais, podem até subnutrir, quem diria! Pois é. Vivendo e aprendendo. E retificando, sempre.

A CONDIÇÃO FÍSICA DO HERÓI

Se você sente muito calor, muita sede e prefere beber gelados, a sua condição parece ser quente; procure mais alimentos frescos, frios e amargos. Se, ao contrário, sente frio, não tem sede, prefere bebidas mornas ou quentes, sua condição parece ser fria; procure mais alimentos mornos e quentes, doces e picantes, e evite os frescos, frios e amargos. Se a sede é muita e há secura na pele e nas mucosas da garganta, do nariz, dos olhos e dos intestinos, a sua condição parece ser seca; procure alimentos que produzem líquidos orgânicos e os que lubrificam, como o mel. Mas se você acha o corpo pesado e cansado, retém líquidos e sente a língua muito viscosa, a condição parece ser úmida; use mais temperos para estimular a saída dos líquidos e procure alimentos que reduzem a umidade.

PARA FECHAR

Sabe aquele momento em que você fica ali na frente da geladeira, de porta aberta, com vontade de comer alguma coisa mas sem saber o quê? Pode ser interessante pensar num sabor. E ver se consegue definir a verdadeira vontade, provavelmente de alguma coisa que o corpo está pedindo.

A maioria das pessoas abusa do sabor doce (em chocolates, cafezinhos, refrigerantes, bebidas alcoólicas, massas, biscoitos, balas, cremes, potinhos e doces propriamente ditos) e do sabor salgado (nas carnes conservadas ou comuns, nos salgadinhos, nos tira-gostos, nos queijos salgados e no próprio uso do saleiro). Prestar atenção nisso e dar chance aos outros sabores já é meio caminho andado.

A comida que está no prato mostra como lidamos com nossos desejos e nossas necessidades. Comer só pelo desejo costuma trazer enormes carências nutricionais; comer só pela necessidade tira o prazer do gosto. Quem liga demais para o que come, pondo em segundo plano a emoção e o pensamento, corre o risco de viver em busca da refeição perfeita e perder chances maravilhosas de mergulhar no caos para se renovar. Quem não liga para o que come despreza uma parte importante do contato com a vida. No meio está o equilíbrio, nas pontas a visão crítica. Como dizia Paulo, o apóstolo, sem nunca ter ido à China:

— Tudo me é permitido, mas nem tudo me convém.

TABELAS
E
MAIS TABELAS

Nem todos os alimentos que usamos com mais freqüência estão nestas tabelas, pela simples razão de que não existiam na China. As fontes utilizadas para pesquisa são o Nei Ching Hoang Ti So Wen, clássico de medicina interna do Imperador Amarelo, e os livros de Bob Flaws, Jean-Marc Eyssalet e Henry Lu, entre outros. Às vezes eles divergem, e como!, portanto o que não parecer coerente serve de pretexto para reflexão. Mesmo porque são muitas as variáveis a considerar nesta arte de comer bem; só pode se dedicar a ela quem tenha apetite e tempo disponíveis para saber/saborear tudo, com paciência de mestre e humildade de aprendiz.

A primeira tabela, Ordenalfabetix, é realmente em ordem alfabética; a segunda, Classificatrix, é classificada por grupos de alimentos. Os nomes dos meridianos são indicados por suas iniciais: F/fígado, VB/vesícula biliar, C/coração, ID/intestino delgado, TA/triploaquecedor, CS/circulação-sexo, E/estômago, BP/baço-pâncreas, P/pulmões, IG/intestino grosso, R/rins, B/bexiga.

A terceira tabela, Categorix, é a listagem separada por sabor, elemento, movimento e natureza, para que você possa localizar mais rapidamente a qualidade energética que deseja.

Os títulos são homenagem a René Goscinny, criador do Asterix, ídolo da autora e certamente um velho e bem-humorado sábio chinês, ainda que europeu.

Após Categorix chegamos ao Banco da Cozinha, onde estão depositadas as propriedades particulares de cada alimento (inclusive da carne de javali), e em seguida a Rápida Referência, onde o alimento medicinal pode ser procurado a partir do sintoma. Finalmente, já que nada é perfeito, vêm as Contra-indicações.

Como, herói? Que nada, foi fácil...

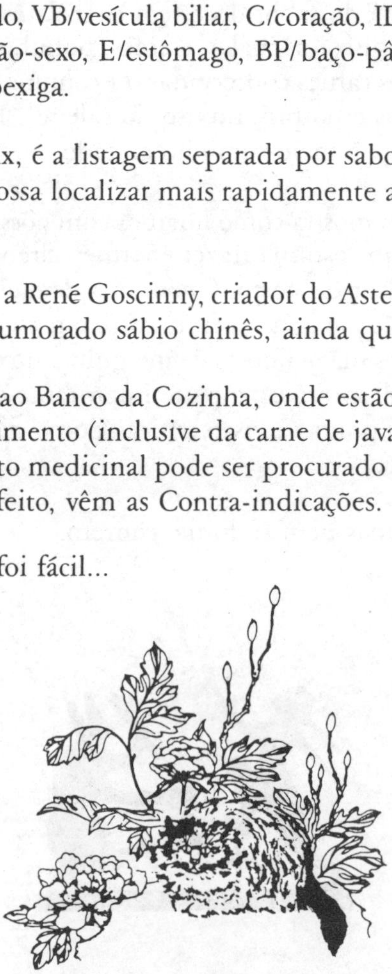

ORDENALFABETIX

ALIMENTO	ELEMENTO	MOVIMENTO	SABOR	NATUREZA	MERIDIANOS
ABACAXI	TERRA	NEUTRO	DOCE/ÁCIDO	FRESCA	
ABÓBORA REDONDA	TERRA	NEUTRO	DOCE	FRESCA	E/BP
ABÓBORA-D'ÁGUA	FOGO/TERRA	SOBE	DOCE	NEUTRA	
ABOBRINHA	TERRA	SOBE	DOCE	MORNA	
AÇAFRÃO, ESTAME	MADEIRA/TERRA	SOBE/DESCE	DOCE/ÁCIDO	NEUTRA	F/C
AÇAFROA (FALSO AÇAFRÃO)	METAL	SOBE	PICANTE	MORNA	C/F
ACELGA			DOCE/ÁCIDO/AMARGO	FRESCA	
AÇÚCAR BRANCO	TERRA	SOBE	DOCE	NEUTRA	BP
AÇÚCAR MASCAVO	TERRA		DOCE	MORNA	F/BP/E
ÁGAR-ÁGAR	TERRA/ÁGUA	VISCOSO	DOCE	FRIA	P/F
AGRIÃO	TERRA/METAL	SOBE/DESCE	PICANTE/DOCE	FRESCA	P/E
AIPO	FOGO/TERRA	DESCE	DOCE/AMARGO	FRESCA	F/E
ALCACHOFRA	MADEIRA/FOGO		DOCE/AMARGO	FRESCA	
ALCAÇUZ		SOBE	DOCE	NEUTRA	P/BP/E
ALCAPARRA	METAL	SOBE	PICANTE/AMARGO	MORNA	
ALECRIM	METAL	SOBE/FORA	PICANTE	MORNA	
ALFACE	FOGO/TERRA	DESCE	DOCE/AMARGO	FRESCA	IG/E
ALFACE ROMANA	FOGO		AMARGO	FRIA	IG/E
ALFAFA	FOGO		DOCE/AMARGO	NEUTRA	
ALGAS EM GERAL	ÁGUA	DENTRO	SALGADO	FRIA	
ALHO	METAL	SOBE	PICANTE	MORNA	P/BP/E
ALHO-PORÓ	MADEIRA/METAL	SOBE/DESCE/FORA	ÁCIDO/PICANTE	MORNA	P/F
AMASAKE	TERRA/METAL		DOCE	MORNA	P
AMEIXA	MADEIRA/TERRA	SOBE/DESCE	DOCE/ÁCIDO	NEUTRA	R/F
AMÊNDOA	TERRA		DOCE	NEUTRA	P
AMENDOIM, ÓLEO	TERRA	SOBE	DOCE	NEUTRA	
AMENDOIM	TERRA	SOBE	DOCE	NEUTRA	P/BP
AMORA	TERRA	DESCE	DOCE	FRIA	R/F
ANCHOVA	TERRA		DOCE	MORNA	
ANETO	METAL	SOBE	PICANTE	MORNA	R/BP
ARENQUE	TERRA	SOBE	DOCE	NEUTRA	P/BP
ARROZ BRANCO	TERRA	SOBE	DOCE	NEUTRA	BP/E
ARROZ INTEGRAL	TERRA/METAL	SOBE	DOCE/PICANTE	NEUTRA	IG/E
ARROZ MOTI	TERRA		DOCE	MORNA	P
ARROZ, FARELO	TERRA/METAL	SOBE	PICANTE/DOCE	NEUTRA	IG/E
ASPARGO	FOGO/TERRA	DESCE/SOBE	DOCE/AMARGO	FRIA	P/R
ATUM	TERRA	SOBE	DOCE	NEUTRA	E
AVEIA	METAL	NEUTRO	SALGADO	FRESCA	IG/R/S

ORDENALFABETIX

ALIMENTO	ELEMENTO	MOVIMENTO	SABOR	NATUREZA	MERIDIANOS
AZEDINHA		SOBE	ÁCIDO	FRIA	
AZEITONA	MADEIRA/TERRA	SOBE/DESCE	DOCE/ÁCIDO/ACRE	NEUTRA	P/E
BANANA	TERRA	DESCE	DOCE	FRIA	IG/ID
BATATA-DOCE	TERRA	SOBE	DOCE	MORNA	BP/R
BATATA-INGLESA	TERRA	SOBE	DOCE	NEUTRA	
BELDROEGA		SOBE	ÁCIDO	FRIA	IG/F/BP
BERINJELA	TERRA	DESCE	DOCE	FRESCA	IG/BP/E
BETERRABA	TERRA		DOCE	NEUTRA	
BOI, FÍGADO	TERRA	SOBE	DOCE	NEUTRA	F
BOI, RIM		SOBE		MORNA	R
BOI	TERRA	SOBE	DOCE	NEUTRA	BP/E/IG
BRÓCOLIS	MADEIRA/FOGO				
BROTO DE BAMBU	TERRA	DESCE	DOCE	FRIA	
CAÇÃO, VIOLA	TERRA/ÁGUA	SOBE/DESCE	DOCE/SALGADO	NEUTRA	BP
CAFÉ	FOGO/TERRA	SOBE	DOCE/AMARGO	MORNA	C/BP
CALDO DE CANA	TERRA	SOBE	DOCE	FRIA	F/E
CAMARÃO	TERRA		DOCE	MORNA	
CAMOMILA, CHÁ			DOCE/AMARGO	FRESCA	
CANELA, CASCA		FORA	PICANTE/DOCE	QUENTE	B/R/BP
CAQUI	TERRA	DESCE	DOCE/ACRE	FRIA	P/IG/C
CARÁ	TERRA	SOBE	DOCE	NEUTRA	P/R/BP
CARAMBOLA	MADEIRA/TERRA	SOBE	DOCE/ÁCIDO	FRIA	
CARANGUEJO, SIRI	ÁGUA	DENTRO	SALGADO	FRIA	E
CARNEIRO, FÍGADO		DESCE	DOCE/AMARGO	FRESCA	F
CARNEIRO, RIM	TERRA		DOCE	MORNA	R
CARNEIRO	TERRA		DOCE	NEUTRA	R/BP
CARPA	TERRA	SOBE	DOCE	NEUTRA	R/BP
CASTANHA PORTUGUESA	TERRA		DOCE	MORNA	BP/R
CEBOLA	TERRA	SOBE	PICANTE/DOCE	MORNA	P/E/IG
CEBOLINHA VERDE	FOGO/METAL	SOBE	PICANTE/AMARGO	MORNA	P/IG/C
CENOURA	TERRA	SOBE	DOCE/PICANTE	NEUTRA	P/BP
CENTEIO	FOGO	SOBE	AMARGO	NEUTRA	
CEREJA			DOCE	MORNA	
CEVADA	TERRA/ÁGUA	DESCE	DOCE/SALGADO	FRESCA	B/E
CEVADA PEROLADA	TERRA	DESCE	DOCE	FRESCA	P/IG/E/BP/R
CHÁ VERDE, BANCHÁ		DESCE	AMARGO/DOCE	FRESCA	C/P/E
CHICÓRIA			DOCE/AMARGO	FRESCA	VB/R
CHUCHU			DOCE	FRESCA	

ORDENALFABETIX

ALIMENTO	ELEMENTO	MOVIMENTO	SABOR	NATUREZA	MERIDIANOS
COCO, LEITE	TERRA		DOCE	MORNA	
COCO, POLPA	TERRA	SOBE	DOCE	NEUTRA	
COENTRO	METAL	SOBE	PICANTE	MORNA	P/BP
COGUMELO COMUM	TERRA	DESCE	DOCE	FRESCA	P/IG/E/BP
COGUMELO SHIITAKE	TERRA	SOBE	DOCE	NEUTRA	F
COMINHO	METAL	SOBE	PICANTE	MORNA	R/E
COUVE			DOCE/AMARGO/ÁCIDO	NEUTRA	
COUVE-FLOR			DOCE	NEUTRA	
COUVE-RÁBANO	FOGO/TERRA/METAL	SOBE	PICANTE/DOCE/AMARGO		
DAMASCO SECO	MADEIRA/METAL/ÁGUA		DOCE/ÁCIDO/SALGADO	MORNA	
ENDRO (DILL)	METAL	SOBE	PICANTE	MORNA	BP/R
ENGUIA	ÁGUA	SOBE	DOCE	MORNA	F/R/BP
ERVA-DOCE, SEMENTE		SOBE	PICANTE	MORNA	B/R/E
ERVILHA	TERRA	SOBE	DOCE/ÁCIDO	NEUTRA	BP/E
ESCARGOT			SALGADO	FRIA	
ESPINAFRE	TERRA	DESCE	DOCE	FRESCA	IG/ID
ESTURJÃO	TERRA	SOBE	DOCE	NEUTRA	P/CS
FEIJÃO AZUKI	MADEIRA/TERRA	NEUTRO	DOCE/ÁCIDO	NEUTRA	C/ID
FEIJÃO BRANCO	TERRA	NEUTRO	DOCE	FRESCA	
FEIJÃO-DE-CORDA	TERRA		DOCE	NEUTRA	BP/R
FEIJÃOZINHO VERDE	TERRA	DESCE	DOCE	FRESCA	C/E
FIGO	TERRA	SOBE	DOCE	NEUTRA	IG/BP/P
FRAMBOESA	MADEIRA/TERRA	SOBE/DESCE	DOCE	NEUTRA	
GALINHA, FÍGADO	TERRA		DOCE	MORNA	F/R
GALINHA, FRANGO	TERRA		DOCE	MORNA	BP/E
GALINHA, MOELA	TERRA/ÁGUA		DOCE	NEUTRA	E/BP
GANSO	TERRA		DOCE	NEUTRA	P/BP
GELÉIA REAL	METAL	SOBE	DOCE		
GENGIBRE FRESCO	METAL	SOBE	PICANTE	MORNA	P/E/BP
GENGIBRE SECO	METAL	SOBE	PICANTE	QUENTE	P/E/BP
GERGELIM PRETO	TERRA	SOBE	DOCE	NEUTRA	F/R
GERGELIM, ÓLEO	TERRA	DESCE	DOCE	FRESCA	E
GINSENG		SOBE	DOCE/AMARGO	MORNA	P/BP
GIRASSOL, SEMENTE		SOBE	DOCE	MORNA	
GLÚTEN (SEITAN)	TERRA	DESCE	DOCE	FRESCA	
GOIABA		SOBE	DOCE	MORNA	
GOIABA, FOLHA		SOBE	DOCE	NEUTRA	
HORTELÃ-PIMENTA	TERRA/METAL	SOBE	PICANTE/DOCE	MORNA	

ORDENALFABETIX

ALIMENTO	ELEMENTO	MOVIMENTO	SABOR	NATUREZA	MERIDIANOS
HORTELÃ	METAL	SOBE	PICANTE	FRESCA	
INHAME	TERRA/METAL	SOBE	PICANTE/DOCE	NEUTRA	IG/E
INHAME, FOLHA		SOBE	PICANTE	FRESCA	
LARANJA			DOCE/ÁCIDO	FRESCA	P
LEITE DE OVELHA	TERRA	SOBE	DOCE	MORNA	P/E/C
LEITE DE VACA	TERRA	SOBE	DOCE	NEUTRA	P/C/E
LEITE HUMANO	TERRA	DESCE	DOCE/SALGADO	NEUTRA	P/C/E
LIMÃO	MADEIRA	SOBE	ÁCIDO	FRESCA	
LÓTUS, RAIZ	TERRA	DESCE	DOCE	FRIA	E/BP/C
LÓTUS, SEMENTE	TERRA	SOBE	DOCE/ACRE	NEUTRA	BP/C/R
LOURO	METAL	SOBE	PICANTE	MORNA	
LÚPULO		DENTRO	AMARGO	FRESCA	
MAÇÃ	TERRA	DESCE	DOCE	FRESCA	
MAÇÃ ÁCIDA	TERRA	DESCE	DOCE/ÁCIDO	NEUTRA	P/F/C
MALTOSE	TERRA		DOCE	MORNA	P/BP/E
MAMÃO PAPAIA	FOGO/TERRA	SOBE	DOCE/AMARGO/PICANTE	NEUTRA	
MANGA	MADEIRA/TERRA	DESCE	DOCE/ÁCIDO	FRIA	
MANJERICÃO	METAL	SOBE	PICANTE	MORNA	E/BP
MANTEIGA	TERRA		DOCE	MORNA	
MARISCO DE MAR	ÁGUA	DENTRO	SALGADO	FRIA	E
MARISCO DE RIO	TERRA/ÁGUA	DENTRO	DOCE/SALGADO	FRIA	F/R
MEL	TERRA	SOBE	DOCE	NEUTRA	P/IG/BP
MELANCIA	TERRA	DESCE	DOCE	FRIA	B/C/E
MELÃO	DESCE		DOCE	FRESCA	C/E
MILHO	TERRA		DOCE	NEUTRA	IG/E
MILHO, CABELINHO		SOBE	DOCE	NEUTRA	VB/F
MORANGO	MADEIRA/TERRA	DESCE	DOCE/ÁCIDO	MORNA	
MOSTARDA, FOLHA	METAL	SOBE	PICANTE	MORNA	P
NABO	FOGO/TERRA/METAL	SOBE	PICANTE/DOCE/AMARGO	NEUTRA	R/BP/P
NORI	TERRA	DESCE/DENTRO	DOCE/SALGADO	FRIA	P
NOZ-MOSCADA	METAL	SOBE	PICANTE	MORNA	IG/BP
NOZ	TERRA		DOCE	MORNA	P/R
ORÉGANO	METAL	SOBE	PICANTE	FRESCA	
OSTRA	TERRA/ÁGUA	SOBE/DESCE	DOCE/SALGADO	FRIA	
OURIÇO-DO-MAR			SALGADO	FRESCA	
OVO DE GALINHA	TERRA	SOBE	DOCE	NEUTRA	
OVO DE PATA		NEUTRO	DOCE	FRESCA	
OVO, CLARA		DESCE	DOCE	FRIA	

ORDENALFABETIX

ALIMENTO	ELEMENTO	MOVIMENTO	SABOR	NATUREZA	MERIDIANOS
OVO, GEMA		SOBE	DOCE	NEUTRA	R/C
PAINÇO	TERRA/ÁGUA	DESCE	DOCE/SALGADO	FRESCA	E/BP/R
PATO	TERRA	SOBE	DOCE	NEUTRA	P/R
PEIXES DE CARNE BRANCA	TERRA	SOBE	DOCE	NEUTRA	P/E/F
PEPINO	TERRA	DESCE	DOCE	FRESCA	IG/E/BP
PÊRA	MADEIRA/TERRA	DESCE	DOCE	FRESCA	P/E
PÊSSEGO	TERRA	DESCE	DOCE/ÁCIDO	MORNA	
PIMENTA BRANCA	FOGO/METAL	SOBE	PICANTE/AMARGO		
PIMENTA CAIENA	METAL	SOBE	PICANTE	QUENTE	BP/C
PIMENTA VERMELHA		FORA	PICANTE	QUENTE	B/E
PIMENTA-DO-REINO	METAL	SOBE/FORA	PICANTE	QUENTE	IG/E
PIMENTÕES		SOBE/FORA	PICANTE	QUENTE	B/C
PINHÃO	TERRA		DOCE	MORNA	P/IG/F
PISTACHE			PICANTE	MORNA	
POLVO	TERRA	DESCE	DOCE/SALGADO	FRIA	
POMBO			SALGADO	NEUTRA	F/R
PORCO, FÍGADO		SOBE	DOCE/AMARGO	MORNA	F
PORCO, RIM	ÁGUA	DESCE	SALGADO	NEUTRA	E/BP/R
PORCO	TERRA/ÁGUA	SOBE/DESCE	DOCE/SALGADO	NEUTRA	R/BP/E
QUEIJO DE VACA OU CABRA	MADEIRA/TERRA	SOBE/DESCE	DOCE/ÁCIDO	NEUTRA	
QUIABO		DESCE	DOCE/AMARGO	FRIA	P
RÃ			SALGADO	FRESCA	P/R
RABANETE, FOLHA		NEUTRO	PICANTE/AMARGO	NEUTRA	B/E
RABANETE	TERRA/METAL	SOBE/DESCE	PICANTE/DOCE	FRESCA	P/E
RAIZ-DE-LÓTUS	TERRA	DESCE	DOCE	FRIA	E/BP/C
REPOLHO	TERRA	SOBE	DOCE	NEUTRA	IG/E
RUIBARBO			AMARGO	FRIA	TODOS
SAL	ÁGUA	DENTRO/DESCE	SALGADO	FRIA	IG/E/ID/R
SALSA	MADEIRA		DOCE	MORNA	F/E/R
SARDINHA	TERRA/METAL	SOBE/DESCE	DOCE/SALGADO	NEUTRA	E/BP
SOJA AMARELA	TERRA	DESCE	DOCE	FRESCA	IG/BP
SOJA, ÓLEO	TERRA/METAL	SOBE/FORA	PICANTE/DOCE	QUENTE	
SORGO	TERRA		DOCE	MORNA	P/BP/IG/E
TABACO, FOLHA	METAL	FORA	PICANTE	MORNA	
TÂMARA		SOBE	DOCE	MORNA	BP/E
TANGERINA	MADEIRA/TERRA	DESCE	DOCE/ÁCIDO	FRESCA	P/E/BP
TARTARUGA			DOCE	NEUTRA	F
TOFU (QUEIJO DE SOJA)	TERRA	DESCE	DOCE	FRESCA	P/IG/E

ORDENALFABETIX

ALIMENTO	ELEMENTO	MOVIMENTO	SABOR	NATUREZA	MERIDIANOS
TOMATE	MADEIRA/TERRA	DESCE	DOCE/ÁCIDO	FRIA	
TORONJA		DESCE	DOCE/ÁCIDO	FRIA	
TRIGO, FARELO	TERRA	DESCE	DOCE	FRESCA	IG
TRIGO, GERME	METAL	SOBE	PICANTE	FRIA	C/ID
TRIGO-SARRACENO	TERRA	DESCE	DOCE	FRESCA	IG/E/BP
TRIGO	TERRA	DESCE	DOCE	FRESCA	R/BP/C
TRUTA	MADEIRA		ÁCIDO	QUENTE	
UVA	MADEIRA/TERRA	SOBE/DESCE	DOCE/ÁCIDO	NEUTRA	P/BP/R
VINAGRE	MADEIRA/FOGO	DESCE	ÁCIDO/AMARGO	MORNA	E/F
VINHO	METAL/MADEIRA	SOBE	PICANTE/DOCE/AMARGO	MORNA	P/F/E

CLASSIFICATRIX

CEREAIS

ALIMENTO	ELEMENTO	MOVIMENTO	SABOR	NATUREZA	MERIDIANOS
AMASAKE	TERRA/METAL		DOCE	MORNA	P
ARROZ BRANCO	TERRA	SOBE	DOCE	NEUTRA	BP/E
ARROZ INTEGRAL	TERRA/METAL	SOBE	DOCE/PICANTE	NEUTRA	IG/E
ARROZ MOTI	TERRA		DOCE	MORNA	P
ARROZ, FARELO	TERRA/METAL	SOBE	PICANTE/DOCE	NEUTRA	IG/E
AVEIA	METAL	NEUTRO	SALGADO	FRESCA	IG/R/S
CENTEIO	FOGO	SOBE	AMARGO	NEUTRA	
CEVADA	TERRA/ÁGUA	DESCE	DOCE/SALGADO	FRESCA	B/E
CEVADA PEROLADA	TERRA	DESCE	DOCE	FRESCA	P/IG/E/BP/R
GLÚTEN (SEITAN)	TERRA	DESCE	DOCE	FRESCA	
MILHO	TERRA		DOCE	NEUTRA	IG/E
PAINÇO	TERRA/ÁGUA	DESCE	DOCE/SALGADO	FRESCA	E/BP/R
SORGO	TERRA		DOCE	MORNA	P/BP/IG/E
TRIGO	TERRA	DESCE	DOCE	FRESCA	R/BP/C
TRIGO-SARRACENO	TERRA	DESCE	DOCE	FRESCA	IG/E/BP
TRIGO, FARELO	TERRA	DESCE	DOCE	FRESCA	IG
TRIGO, GERME	METAL	SOBE	PICANTE	FRIA	C/ID

LEGUMINOSAS

ALIMENTO	ELEMENTO	MOVIMENTO	SABOR	NATUREZA	MERIDIANOS
AMENDOIM	TERRA	SOBE	DOCE	NEUTRA	P/BP
AMENDOIM, ÓLEO	TERRA	SOBE	DOCE	NEUTRA	
ERVILHA	TERRA	SOBE	DOCE/ÁCIDO	NEUTRA	BP/E
FEIJÃO AZUKI	MADEIRA/TERRA	NEUTRO	DOCE/ÁCIDO	NEUTRA	C/ID
FEIJÃO BRANCO	TERRA	NEUTRO	DOCE	FRESCA	
FEIJÃO-DE-CORDA	TERRA		DOCE	NEUTRA	BP/R
FEIJÃOZINHO VERDE	TERRA	DESCE	DOCE	FRESCA	C/E
SOJA AMARELA	TERRA	DESCE	DOCE	FRESCA	IG/BP
SOJA, ÓLEO	TERRA/METAL	SOBE/FORA	PICANTE/DOCE	QUENTE	
TOFU (QUEIJO DE SOJA)	TERRA	DESCE	DOCE	FRESCA	P/IG/E

RAÍZES, TUBÉRCULOS E BULBOS

ALIMENTO	ELEMENTO	MOVIMENTO	SABOR	NATUREZA	MERIDIANOS
ALCAÇUZ		SOBE	DOCE	NEUTRA	P/BP/E
BATATA-DOCE	TERRA	SOBE	DOCE	MORNA	BP/R
BATATA-INGLESA	TERRA	SOBE	DOCE	NEUTRA	
BETERRABA	TERRA		DOCE	NEUTRA	
CARÁ	TERRA	SOBE	DOCE	NEUTRA	P/R/BP
CENOURA	TERRA	SOBE	DOCE/PICANTE	NEUTRA	P/BP
GINSENG		SOBE	DOCE/AMARGO	MORNA	P/BP
INHAME	TERRA/METAL	SOBE	PICANTE/DOCE	NEUTRA	IG/E

CLASSIFICATRIX

ALIMENTO	ELEMENTO	MOVIMENTO	SABOR	NATUREZA	MERIDIANOS
NABO	FOGO/TERRA/METAL	SOBE	PICANTE/DOCE/AMARGO	NEUTRA	R/BP/P
RABANETE	TERRA/METAL	SOBE/DESCE	PICANTE/DOCE	FRESCA	P/E
		FRUTOS			
ABÓBORA-D'ÁGUA	FOGO/TERRA	SOBE	DOCE	NEUTRA	
ABÓBORA REDONDA	TERRA	NEUTRO	DOCE	FRESCA	E/BP
ABOBRINHA	TERRA	SOBE	DOCE	MORNA	
ASPARGO	FOGO/TERRA	DESCE/SOBE	DOCE/AMARGO	FRIA	P/R
BERINJELA	TERRA	DESCE	DOCE	FRESCA	IG/BP/E
CHUCHU			DOCE	FRESCA	
PEPINO	TERRA	DESCE	DOCE	FRESCA	IG/E/BP
PIMENTÕES		SOBE/FORA	PICANTE	QUENTE	B/C
QUIABO		DESCE	DOCE/AMARGO	FRIA	P
TOMATE	MADEIRA/TERRA	DESCE	DOCE/ÁCIDO	FRIA	
		FOLHAS			
ACELGA			DOCE/ÁCIDO/AMARGO	FRESCA	
AGRIÃO	TERRA/METAL	SOBE/DESCE	PICANTE/DOCE	FRESCA	P/E
AIPO	FOGO/TERRA	DESCE	DOCE/AMARGO	FRESCA	F/E
ALCACHOFRA	MADEIRA/FOGO		DOCE/AMARGO	FRESCA	
ALFACE	FOGO/TERRA	DESCE	DOCE/AMARGO	FRESCA	IG/E
ALFACE ROMANA	FOGO		AMARGO	FRIA	IG/E
ALFAFA	FOGO		DOCE/AMARGO	NEUTRA	
ALHO-PORÓ	MADEIRA/METAL	SOBE/DESCE/FORA	ÁCIDO/PICANTE	MORNA	P/F
AZEDINHA		SOBE	ÁCIDO	FRIA	
BELDROEGA		SOBE	ÁCIDO	FRIA	IG/F/BP
BRÓCOLIS	MADEIRA/FOGO				
CHICÓRIA			DOCE/AMARGO	FRESCA	VB/R
COUVE			DOCE/AMARGO/ÁCIDO	NEUTRA	
COUVE-FLOR			DOCE	NEUTRA	
COUVE-RÁBANO	FOGO/TERRA/METAL	SOBE	PICANTE/DOCE/AMARGO		
ESPINAFRE	TERRA	DESCE	DOCE	FRESCA	IG/ID
INHAME, FOLHA		SOBE	PICANTE	FRESCA	
LÚPULO		DENTRO	AMARGO	FRESCA	
MOSTARDA, FOLHA	METAL	SOBE	PICANTE	MORNA	P
RABANETE, FOLHA		NEUTRO	PICANTE/AMARGO	NEUTRA	B/E
REPOLHO	TERRA	SOBE	DOCE	NEUTRA	IG/E
RUIBARBO			AMARGO	FRIA	TODOS
TABACO, FOLHA	METAL	FORA	PICANTE	MORNA	

CLASSIFICATRIX

ALIMENTO	ELEMENTO	MOVIMENTO	SABOR	NATUREZA	MERIDIANOS
ALGAS					
ÁGAR-ÁGAR	TERRA/ÁGUA	VISCOSO	DOCE	FRIA	P/F
NORI	TERRA	DESCE/DENTRO	DOCE/SALGADO	FRIA	P
ALGAS EM GERAL	ÁGUA	DENTRO	SALGADO	FRIA	
ANIMAIS					
ANCHOVA	TERRA		DOCE	MORNA	
ARENQUE	TERRA	SOBE	DOCE	NEUTRA	P/BP
ATUM	TERRA	SOBE	DOCE	NEUTRA	E
BOI	TERRA	SOBE	DOCE	NEUTRA	BP/E/IG
BOI, FÍGADO	TERRA	SOBE	DOCE	NEUTRA	F
BOI, RIM		SOBE		MORNA	R
CAÇÃO, VIOLA	TERRA/ÁGUA	SOBE/DESCE	DOCE/SALGADO	NEUTRA	BP
CAMARÃO	TERRA		DOCE	MORNA	
CARANGUEJO, SIRI	ÁGUA	DENTRO	SALGADO	FRIA	E
CARNEIRO	TERRA		DOCE	NEUTRA	R/BP
CARNEIRO, FÍGADO		DESCE	DOCE/AMARGO	FRESCA	F
CARNEIRO, RIM	TERRA		DOCE	MORNA	R
CARPA	TERRA	SOBE	DOCE	NEUTRA	R/BP
ENGUIA	ÁGUA	SOBE	DOCE	MORNA	F/R/BP
ESCARGOT			SALGADO	FRIA	
ESTURJÃO	TERRA	SOBE	DOCE	NEUTRA	P/CS
GALINHA, FRANGO	TERRA		DOCE	MORNA	BP/E
GALINHA, FÍGADO	TERRA		DOCE	MORNA	F/R
GALINHA, MOELA	TERRA/ÁGUA		DOCE	NEUTRA	E/BP
GANSO	TERRA		DOCE	NEUTRA	P/BP
LEITE DE OVELHA	TERRA	SOBE	DOCE	MORNA	P/E/C
LEITE DE VACA	TERRA	SOBE	DOCE	NEUTRA	P/C/E
LEITE HUMANO	TERRA	DESCE	DOCE/SALGADO	NEUTRA	P/C/E
MANTEIGA	TERRA		DOCE	MORNA	
MARISCO DE MAR	ÁGUA	DENTRO	SALGADO	FRIA	E
MARISCO DE RIO	TERRA/ÁGUA	DENTRO	DOCE/SALGADO	FRIA	F/R
OSTRA	TERRA/ÁGUA	SOBE/DESCE	DOCE/SALGADO	FRIA	
OURIÇO-DO-MAR			SALGADO	FRESCA	
OVO DE GALINHA	TERRA	SOBE	DOCE	NEUTRA	
OVO DE PATA		NEUTRO	DOCE	FRESCA	
OVO, CLARA		DESCE	DOCE	FRIA	
OVO, GEMA		SOBE	DOCE	NEUTRA	R/C
PATO	TERRA	SOBE	DOCE	NEUTRA	P/R

CLASSIFICATRIX

ALIMENTO	ELEMENTO	MOVIMENTO	SABOR	NATUREZA	MERIDIANOS
PEIXES DE CARNE BRANCA	TERRA	SOBE	DOCE	NEUTRA	P/E/F
POLVO	TERRA	DESCE	DOCE/SALGADO	FRIA	
POMBO			SALGADO	NEUTRA	F/R
PORCO	TERRA/ÁGUA	SOBE/DESCE	DOCE/SALGADO	NEUTRA	R/BP/E
PORCO, FÍGADO		SOBE	DOCE/AMARGO	MORNA	F
PORCO, RIM	ÁGUA	DESCE	SALGADO	NEUTRA	E/BP/R
QUEIJO DE VACA OU CABRA	MADEIRA/TERRA	SOBE/DESCE	DOCE/ÁCIDO	NEUTRA	
RÃ			SALGADO	FRESCA	P/R
SARDINHA	TERRA/METAL	SOBE/DESCE	DOCE/SALGADO	NEUTRA	E/BP
TARTARUGA			DOCE	NEUTRA	F
TRUTA	MADEIRA		ÁCIDO	QUENTE	

NOZES, CASTANHAS E SEMENTES

ALIMENTO	ELEMENTO	MOVIMENTO	SABOR	NATUREZA	MERIDIANOS
AMÊNDOA	TERRA		DOCE	NEUTRA	P
GERGELIM PRETO	TERRA	SOBE	DOCE	NEUTRA	F/R
GERGELIM, ÓLEO	TERRA	DESCE	DOCE	FRESCA	E
GIRASSOL, SEMENTE		SOBE	DOCE	MORNA	
LÓTUS, SEMENTE	TERRA	SOBE	DOCE/ACRE	NEUTRA	BP/C/R
NOZ	TERRA		DOCE	MORNA	P/R
PINHÃO	TERRA		DOCE	MORNA	P/IG/F
PISTACHE			PICANTE	MORNA	

CONDIMENTOS

ALIMENTO	ELEMENTO	MOVIMENTO	SABOR	NATUREZA	MERIDIANOS
AÇAFRÃO, ESTAME	MADEIRA/TERRA	SOBE/DESCE	DOCE/ÁCIDO	NEUTRA	F/C/
AÇAFROA (FALSO AÇAFRÃO)	METAL	SOBE	PICANTE	MORNA	C/F
AÇÚÇAR BRANCO	TERRA	SOBE	DOCE	NEUTRA	BP
AÇÚCAR MASCAVO	TERRA		DOCE	MORNA	F/BP/E
ALCAPARRA	METAL	SOBE	PICANTE/AMARGO	MORNA	
ALECRIM	METAL	SOBE/FORA	PICANTE	MORNA	
ALHO	METAL	SOBE	PICANTE	MORNA	P/BP/E
ANETO	METAL	SOBE	PICANTE	MORNA	R/BP
CANELA, CASCA		FORA	PICANTE/DOCE	QUENTE	B/R/BP
CEBOLA	TERRA	SOBE	PICANTE/DOCE	MORNA	P/E/IG
CEBOLINHA VERDE	FOGO/METAL	SOBE	PICANTE/AMARGO	MORNA	P/IG/C
COENTRO	METAL	SOBE	PICANTE	MORNA	P/BP
COMINHO	METAL	SOBE	PICANTE	MORNA	R/E
ENDRO (DILL)	METAL	SOBE	PICANTE	MORNA	BP/R
ERVA-DOCE, SEMENTE		SOBE	PICANTE	MORNA	B/R/E
GENGIBRE FRESCO	METAL	SOBE	PICANTE	MORNA	P/E/BP
GENGIBRE SECO	METAL	SOBE	PICANTE	QUENTE	P/E/BP

CLASSIFICATRIX

ALIMENTO	ELEMENTO	MOVIMENTO	SABOR	NATUREZA	MERIDIANOS
HORTELÃ-PIMENTA	TERRA/METAL	SOBE	PICANTE/DOCE	MORNA	
HORTELÃ	METAL	SOBE	PICANTE	FRESCA	
LIMÃO	MADEIRA	SOBE	ÁCIDO	FRESCA	
LOURO	METAL	SOBE	PICANTE	MORNA	
MALTOSE	TERRA		DOCE	MORNA	P/BP/E
MANJERICÃO	METAL	SOBE	PICANTE	MORNA	E/BP
MEL	TERRA	SOBE	DOCE	NEUTRA	P/IG/BP
NOZ-MOSCADA	METAL	SOBE	PICANTE	MORNA	IG/BP
ORÉGANO	METAL	SOBE	PICANTE	FRESCA	
PIMENTA BRANCA	FOGO/METAL	SOBE	PICANTE/AMARGO		
PIMENTA CAIENA	METAL	SOBE	PICANTE	QUENTE	BP/C
PIMENTA-DO-REINO	METAL	SOBE/FORA	PICANTE	QUENTE	IG/E
PIMENTA VERMELHA		FORA	PICANTE	QUENTE	B/E
SAL	ÁGUA	DENTRO/DESCE	SALGADO	FRIA	IG/E/ID/R
SALSA	MADEIRA		DOCE	MORNA	F/E/R
VINAGRE	MADEIRA/FOGO	DESCE	ÁCIDO/AMARGO	MORNA	E/F

FRUTAS

ALIMENTO	ELEMENTO	MOVIMENTO	SABOR	NATUREZA	MERIDIANOS
ABACAXI	TERRA	NEUTRO	DOCE/ÁCIDO	FRESCA	
AMEIXA	MADEIRA/TERRA	SOBE/DESCE	DOCE/ÁCIDO	NEUTRA	R/F
AMORA	TERRA	DESCE	DOCE	FRIA	R/F
AZEITONA	MADEIRA/TERRA	SOBE/DESCE	DOCE/ÁCIDO/ACRE	NEUTRA	P/E
BANANA	TERRA	DESCE	DOCE	FRIA	IG/ID
CAQUI	TERRA	DESCE	DOCE/ACRE	FRIA	P/IG/C
CARAMBOLA	MADEIRA/TERRA	SOBE	DOCE/ÁCIDO	FRIA	
CASTANHA PORTUGUESA	TERRA		DOCE	MORNA	BP/R
CEREJA			DOCE	MORNA	
COCO, LEITE	TERRA		DOCE	MORNA	
COCO, POLPA	TERRA	SOBE	DOCE	NEUTRA	
DAMASCO SECO	MADEIRA/METAL/ÁGUA		DOCE/ÁCIDO/SALGADO	MORNA	
FIGO	TERRA	SOBE	DOCE	NEUTRA	IG/BP/P
FRAMBOESA	MADEIRA/TERRA	SOBE/DESCE	DOCE	NEUTRA	
GOIABA		SOBE	DOCE	MORNA	
GOIABA, FOLHA		SOBE	DOCE	NEUTRA	
LARANJA			DOCE/ÁCIDO	FRESCA	P
LIMÃO	MADEIRA	SOBE	ÁCIDO	FRESCA	
MAMÃO PAPAIA	FOGO/TERRA	SOBE	DOCE/AMARGO/PICANTE	NEUTRA	
MANGA	MADEIRA/TERRA	DESCE	DOCE/ÁCIDO	FRIA	
MAÇÃ	TERRA	DESCE	DOCE	FRESCA	

CLASSIFICATRIX

ALIMENTO	ELEMENTO	MOVIMENTO	SABOR	NATUREZA	MERIDIANOS
MAÇÃ ÁCIDA	TERRA	DESCE	DOCE/ÁCIDO	NEUTRA	P/F/C
MELANCIA	TERRA	DESCE	DOCE	FRIA	B/C/E
MELÃO	DESCE		DOCE	FRESCA	C/E
MORANGO	MADEIRA/TERRA	DESCE	DOCE/ÁCIDO	MORNA	
PÊSSEGO	TERRA	DESCE	DOCE/ÁCIDO	MORNA	
PÊRA	MADEIRA/TERRA	DESCE	DOCE	FRESCA	P/E
TÂMARA		SOBE	DOCE	MORNA	BP/E
TANGERINA	MADEIRA/TERRA	DESCE	DOCE/ÁCIDO	FRESCA	P/E/BP
TORONJA		DESCE	DOCE/ÁCIDO	FRIA	
UVA	MADEIRA/TERRA	SOBE/DESCE	DOCE/ÁCIDO	NEUTRA	P/BP/R
DIVERSOS					
BROTO DE BAMBU	TERRA	DESCE	DOCE	FRIA	
CALDO DE CANA	TERRA	SOBE	DOCE	FRIA	F/E
CAFÉ	FOGO/TERRA	SOBE	DOCE/AMARGO	MORNA	C/BP
CAMOMILA, CHÁ			DOCE/AMARGO	FRESCA	
CHÁ VERDE, BANCHÁ		DESCE	AMARGO/DOCE	FRESCA	C/P/E
COGUMELO COMUM	TERRA	DESCE	DOCE	FRESCA	P/IG/E/BP
COGUMELO SHIITAKE	TERRA	SOBE	DOCE	NEUTRA	F
GELÉIA REAL	METAL	SOBE	DOCE		
MILHO, CABELINHO		SOBE	DOCE	NEUTRA	VB/F
RAIZ-DE-LÓTUS	TERRA	DESCE	DOCE	FRIA	E/BP/C
VINHO	METAL/MADEIRA	SOBE	PICANTE/DOCE/AMARGO	MORNA	P/F/E

CATEGORIX SABOR

ÁCIDO
Azedinha, beldroega, limão, salsa, tamarindo.

ÁCIDO/AMARGO
Vinagre.

ÁCIDO/PICANTE
Alho-poró.

AMARGO
Alface romana, centeio, lúpulo, ruibarbo.

AMARGO/DOCE
Banchá, chá verde.

DOCE
Abóboras, abobrinha, açúcar branco, açúcar mascavo, alcaçuz, alga ágar-ágar, amasake, amêndoa, amendoim, amora, anchova, arenque, arroz branco, arroz moti, atum. Banana, batata-doce, batata-inglesa, berinjela, beterraba, boi, broto de bambu. Cabelinho de milho, caldo de cana, camarão, cará, carneiro, carpa, castanha portuguesa, cereja, cevada perolada, chuchu, coco (leite e polpa), cogumelo shiitake, couve-flor. Enguia, ervilha, espinafre, esturjão. Farelo de trigo, feijão branco, feijão-de-corda, feijãozinho verde, fígado de boi e de galinha, figo, framboesa, frango. Galinha, ganso, geléia real, gergelim preto, girassol (semente), glúten (seitan), goiaba (fruta e folha). Leite de ovelha, leite de vaca, lótus (raiz). Maçã, maltose, manteiga, mel, melancia, melão, milho, moela de galinha. Noz. Óleo de amendoim, óleo de gergelim, ovos. Pato, peixes de carne branca, pepino, pêra, pinhão. Repolho, rim de carneiro. Salsa, soja amarela, sorgo. Tâmara, tartaruga, tofu, trigo, trigo-sarraceno.

DOCE/ÁCIDO
Abacaxi, açafrão, ameixa, carambola, ervilha, feijão azuki, laranja, maçã ácida, manga, morango, pêssego, queijo de vaca e cabra, tangerina, tomate, toronja, uva.

DOCE/ÁCIDO/AMARGO
Acelga.

DOCE/ÁCIDO/PICANTE
Azeitona.

DOCE/ÁCIDO/SALGADO
Damasco seco.

DOCE/AMARGO
Aipo, alcachofra, alface, alfafa, aspargo, café, camomila, chicória, fígado de carneiro e de porco, ginseng, quiabo.

DOCE/AMARGO/ÁCIDO

Couve.

DOCE/AMARGO/PICANTE

Mamão.

DOCE/PICANTE

Arroz integral, cenoura.

DOCE/SALGADO

Alga nori, cação, cevada, leite humano, mariscos de rio, ostra, painço, polvo, porco, sardinha, viola.

PICANTE

Açafroa, alecrim, alho, aneto, coentro, cominho, endro (dill), erva-doce, folha de inhame, folha de mostarda, folha de tabaco, gengibre fresco, gengibre seco, germe de trigo, hortelã, louro, manjericão, noz-moscada, orégano, pimentas em geral, pimentões, pistache.

PICANTE/AMARGO

Alcaparra, cebolinha verde, folha de rabanete, pimenta branca.

PICANTE/DOCE

Agrião, canela em pau, cebola, farelo de arroz, hortelã-pimenta, inhame, óleo de soja, rabanete.

PICANTE/DOCE/AMARGO

Couve-rábano, nabo comprido, vinho.

SALGADO

Alga arame, alga hijiki, alga kombu, alga wakame, aveia, caranguejo, escargot, mariscos de mar, ouriço-do-mar, pombo, porco, rim, rã, sal, siri.

CATEGORIX
ELEMENTO

MADEIRA

Limão, salsa, truta.

MADEIRA/FOGO

Alcachofra, brócolis, vinagre.

MADEIRA/METAL

Alho-poró.

MADEIRA/METAL/ÁGUA

Damasco seco.

MADEIRA/TERRA

Açafrão, ameixa, azeitona, carambola, feijão azuki, framboesa, manga, morango, pêra, queijos, tangerina, tomate, uva.

FOGO

Alface romana, alfafa, centeio.

FOGO/METAL

Cebolinha verde, pimenta branca.

FOGO/TERRA

Abóbora-d'água, aipo, alface, aspargo, café, mamão.

FOGO/TERRA/METAL

Couve-rábano, nabo comprido.

TERRA

Abacaxi, abóbora redonda, abobrinha, açúcar branco, açúcar mascavo, alga nori, amêndoa, amendoim, amora, anchova, arenque, arroz branco, arroz moti, atum. Banana, batata-doce, batata-inglesa, berinjela, beterraba, boi, broto de bambu. Caldo de cana, camarão, caqui, cará, carneiro, carpa, castanha portuguesa, cebola, cenoura, cevada perolada, coco (leite e polpa), cogumelos. Ervilha, espinafre, esturjão. Farelo de trigo, feijão branco, feijão-de-corda, feijãozinho verde, fígado de boi e de galinha, figo, frango. Galinha, ganso, gergelim preto, glúten (seitan). Leite humano, leite de ovelha, leite de vaca, lótus. Maçã, maçã ácida, maltose, manteiga, mel, melancia, milho. Noz. Óleo de amendoim, óleo de gergelim, ovo de galinha. Pato, peixes de carne branca, pepino, pêssego, pinhão, polvo. Repolho, rim de carneiro. Soja amarela, sorgo. Tofu, trigo, trigo-sarraceno, truta.

TERRA/ÁGUA

Ágar-ágar, cação, cevada, marisco de rio, moela de galinha, ostra, painço, porco, viola.

TERRA/METAL

Agrião, amasake, arroz integral, farelo de arroz, hortelã-pimenta, inhame, óleo de soja, rabanete, sardinha.

METAL

Açafroa, alcaparra, alecrim, alho, aneto, aveia, coentro, cominho, endro (dill), folha de mostarda, folha de tabaco, geléia real, gengibre fresco, gengibre seco, germe de trigo, hortelã, louro, manjericão, noz-moscada, orégano, pimenta-do-reino, pimenta vermelha.

METAL/MADEIRA

Vinho.

ÁGUA

Algas marinhas, caranguejo, enguia, mariscos, porco, rim, sal, siri.

CATEGORIX MOVIMENTO

SOBE

Abóbora-d'água, abobrinha, açafroa, açúcar branco, alcaçuz, alcaparra, alho, amendoim, aneto, arenque, arroz branco, arroz integral, atum, azedinha. Batata-doce, batata-inglesa, beldroega, boi. Cabelinho de milho, café, caldo de cana, cará, carambola, carpa, cebola, cebolinha verde, cenoura, centeio, coco (polpa), coentro, cogumelo shiitake, cominho, couve-rábano. Endro (dill), enguia, ervilha, esturjão. Farelo de arroz, fígado de boi e de porco, figo, folha de mostarda. Geléia real, gema de ovo, gengibre fresco, gengibre seco, gergelim preto, germe de trigo, ginseng, goiaba. Hortelã, hortelã-pimenta. Inhame. Leite de ovelha, leite de vaca, limão, louro. Mamão, manjericão, mel. Nabo comprido, noz-moscada. Óleo de amendoim, orégano, ovo de galinha. Pato, peixes de carne branca, pimenta branca, pimenta vermelha. Repolho, rim de boi. Semente de erva-doce, semente de girassol, semente de lótus. Tâmara. Vinho.

SOBE/FORA

Alecrim, óleo de soja, pimenta-do-reino, pimentões.

SOBE/DESCE

Açafrão, agrião, ameixa, aspargo, azeitona, cação, framboesa, ostra, porco, queijos, rabanete, sardinha, uva, viola.

SOBE/DESCE/FORA

Alho-poró.

DESCE

Aipo, alface, amora, banana, banchá, berinjela, broto de bambu, caqui, clara de ovo, cevada, cevada perolada, chá verde, cogumelo comum, espinafre, farelo de trigo, feijão verde, fígado de carneiro, glúten (seitan), leite humano, maçã, maçã ácida, manga, melancia, melão, morango, óleo de gergelim, painço, pepino, pêra, pêssego, polvo, quiabo, raiz-de-lótus, rim de porco, soja amarela, tangerina, tofu, tomate, toronja, trigo, trigo-sarraceno, vinagre.

DESCE/DENTRO

Alga nori, sal.

FORA

Canela em pau, folha de tabaco, pimenta vermelha.

DENTRO

Algas em geral, caranguejo, lúpulo, mariscos de mar e de rio, siri.

OBSTRUTIVO

Caqui, goiaba (fruta e folha), polpa de coco.

NEUTRO

Abacaxi, abóbora redonda, aveia, feijões azuki e branco, folha de rabanete, ovo de pata.

CATEGORIX NATUREZA

FRESCA

Abacaxi, abóbora redonda, abóbora-d'água, acelga, agrião, aipo, alcachofra, alface, aveia, banchá, berinjela, camomila, cevada, cevada perolada, chá verde, chicória, chuchu, cogumelo comum, espinafre, farelo de trigo, feijão branco, feijãozinho verde, fígado de carneiro, folha de inhame, glúten (seitan), hortelã, laranja, limão, lúpulo, maçã, melão, óleo de gergelim, orégano, ouriço-do-mar, ovo de pata, painço, pepino, pêra, rã, rabanete, soja amarela, tangerina, tofu, trigo, trigo-sarraceno.

FRIA

Ágar-ágar, alface romana, algas em geral, amora, aspargo, azedinha, banana, beldroega, broto de bambu, caldo de cana, caqui, carambola, caranguejo, clara de ovo, escargot, germe de trigo, manga, mariscos em geral, melancia, ostra, polvo, quiabo, raiz-de-lótus, ruibarbo, sal, siri, tomate, toronja.

MORNA

Abobrinha, açafroa, açúcar mascavo, alcaparra, alecrim, alho, alho-poró, amasake, anchova, aneto, arroz moti, batata-doce, café, camarão, castanha portuguesa, cebola, cebolinha verde, cereja, coentro, cominho, damasco seco, endro (dill), enguia, erva-doce, fígado de galinha, fígado de porco, folha de mostarda, folha de tabaco, frango, galinha, gengibre, ginseng, girassol, goiaba, hortelã-pimenta, leite de coco, leite de ovelha, louro, maltose, manjericão, manteiga, morango, noz, noz-moscada, pêssego, pinhão, pistache, rim de boi e de carneiro, salsa, sorgo, tâmara, uva, vinho.

QUENTE

Canela em pau, gengibre seco, pimentas em geral, pimentões, óleo de soja, truta.

NEUTRA

Abóbora-d'água, açafrão, açúcar branco, alcaçuz, alfafa, ameixa, amêndoa, amendoim, arenque, arroz branco, arroz integral, atum, azeitona. Batata-inglesa, beterraba, boi. Cabelinho de milho, cação, cará, carneiro, carpa, cenoura, centeio, coco (polpa), cogumelo shiitake, couve, couve-flor. Ervilha, esturjão. Farelo de arroz, feijão azuki, feijão-de-corda, fígado de boi, figo, folha de goiaba, folha de rabanete, framboesa. Ganso, gema de ovo, gergelim preto. Inhame. Leite humano, leite de vaca. Maçã ácida, mamão, mel, milho, moela de galinha. Nabo comprido. Óleo de amendoim, ovo de galinha. Pato, peixes de carne branca, pombo. Queijos. Repolho, rim de porco. Sardinha, semente de lótus. Tartaruga. Uva. Viola.

O BANCO DA COZINHA

ABACAXI

Nutre, refresca, mata a sede, ajuda a digestão; bom em caso de diarréia; indicado para tratar falta de apetite, oligúria, edema, insônia e insolação.

ABÓBORA

Reforça o yang e o aquecedor médio; em sopa é desintoxicante; coadjuvante no tratamento da asma brônquica.

ACELGA (COUVE CHINESA)

Em forma de suco, é remédio para úlceras gástricas e duodenais: soque e esprema folhas frescas de acelga para tirar meio copo de líquido, amorne e tome duas vezes por dia durante dez dias.

AÇÚCAR REFINADO

Reforça o baço e o estômago, o Chi e o sangue; produz fluidos. Em quantidades mínimas e nas ocasiões certas pode ser benéfico, mas por ser doce demais é considerado tóxico. O consumo freqüente e/ou excessivo enfraquece o aquecedor médio, produz umidade demais e esgota o yang dos rins. Move fortemente a energia para cima, provocando um excesso na parte superior do corpo e deficiência na parte inferior. Isso ocasiona muco, hiperatividade, aumento de peso/umidade, fadiga e desordens mentais/emocionais. Indicado para a feitura de xaropes contra tosse seca ou pulmões constritos.

AÇÚCAR MASCAVO

Estimula o baço, aquece e umedece os pulmões, produz líquidos orgânicos, beneficia o sangue, dissolve coágulos, reduz o yin, reforça o aquecedor médio, relaxa o fígado.

ÁGAR-ÁGAR

Refresca os pulmões e os intestinos; limpa os pulmões; ajuda a evacuação e é útil em caso de hemorróidas.

AGRIÃO

Reforça o sangue e remove estagnações, beneficia o Chi, expele o frio, atenua o calor; usado em hepatite, edema, leucorréia, escrófula, oligúria.

AIPO
Consolida e reforça os rins. Pouco, é bom contra corrimentos brancos. As pessoas hipertensas melhoram das tonteiras, dores de cabeça e rigidez nos ombros tomando suco de aipo com mel.

ALCACHOFRA
É desintoxicante, mas só se for cultivada sem agrotóxicos.

ALCAPARRA
Regula e reforça o Chi, reduz o yin, ativa o yang, expele o frio e o vento, remove umidade e sangue estagnado. Boa contra artrite reumatóide.

ALFACE
Permeabiliza os meridianos, refresca e acalma; promove a secreção de leite e é diurético; em excesso prejudica a visão e provoca dores oculares.

ALFAFA
Reduz a umidade, remove pedras da bexiga.

ALGAS MARINHAS
Por sua natureza fria, são mais benéficas em sopas feitas com um ou dois vegetais de natureza morna e temperadas com shoyu ou misso. Outra maneira de atenuar a natureza fria das algas é torrar no forno e socar, de forma que elas fiquem fáceis de pulverizar na comida. Não se recomendam algas às mulheres grávidas, que precisam manter seu calor interno. Algas kombu, arame, hijiki e wakame (chamadas também de algas kelp) amaciam a rigidez, evitam o bócio, acabam com soluços e edemas, eliminam o inchaço e a dor dos testículos, tratam das descargas vaginais. São fáceis de encontrar, desidratadas, nas lojas de artigos japoneses.

ALHO
Dissolve estagnações, abre os caminhos do yang, reduz o yin, amorna o baço e o estômago, elimina o frio, desobstrui o abdômen, neutraliza toxinas, destrói vermes.

ALHO-PORÓ
Reforça o yang, o aquecedor médio e os rins; é bom em caso de hemorróidas, otite e impotência.

AMENDOIM
Nutre, fortalece os pulmões e harmoniza o estômago; bom contra tosse seca, indigestão, beribéri, traqueíte crônica; aumenta a secreção de leite. Deve ser cozido em água salgada, e não torrado.

AMORA
Nutre, refresca, fortalece o yin, reforça o fígado, favorece os rins; indicada para tratar diabete, constipação, visão turva, rigidez das juntas e insônia.

ANCHOVA

Facilita a micção, remove edema, estimula a produção de leite.

ARENQUE

Nutre, fortalece, ativa o aquecedor médio, lubrifica, elimina dores, neutraliza toxinas; indicado nas fadigas por deficiência; contra-indicado quando há erupções na pele e durante a convalescência de doenças graves.

ARROZ

Regulariza o aquecedor médio, reforça o baço, harmoniza e tira sede. Em sopa ou papa, é revitalizante e diurético.

ARROZ MOTI

Pouco, reforça o baço, ajuda a transpirar e combate dores lombares. Ativa o yang, expele sangue estagnado, aquece. Indicado no tratamento de diabete, poliúria e diarréia. Em excesso, favorece as estagnações do frio.

ASPARGO

Indicado no tratamento de hemoptise, tuberculose pulmonar, bronquite crônica, diabete, constipação; é ligeiramente tóxico; contra-indicado em síndromes do frio.

ATUM

Nutre, transforma a umidade; trata o beribéri e o reumatismo que piora em ambientes ou climas úmidos.

AVEIA

Reforça, refresca e ajuda a transpirar; fortalece os tendões; é muito energética.

AZEITONA

Nutre, produz líquidos orgânicos, neutraliza toxinas, fortalece a garganta. Indicada contra dor de garganta, tosse, hemoptise, sede, úlceras, disenteria, alcoolismo, epilepsia. A melhor azeitona é a que vem em barril, não em lata.

BANANA

Cozida em banho-maria trata as hemorróidas; seca, refresca os músculos; madura, umedece pulmões e intestinos e favorece as cicatrizações; é útil em caso de fezes ressecadas; ajuda no tratamento da sede e do alcoolismo.

BARDANA

Em chá, reduz o calor; combate furúnculos e hemorróidas.

BATATA-DOCE

Nutre, favorece a energia, ativa o yang e o aquecedor médio, harmoniza o sangue, produz fluidos, expande o estômago e os intestinos, ajuda a evacuação; indicada contra pele emaciada, erupções, diarréia e hepatite.

BATATA-INGLESA

É um dos poucos alimentos vegetais que reforçam o yin dos rins, portanto cabe comer batatas no inverno — em quantidade moderada, porque se sabe que seu percentual tóxico é grande. Fortifica o baço e o estômago; pouca, estabiliza a mucosa gastroduodenal inflamada. Seu suco alivia queimaduras. Para tratar úlceras gástricas ou duodenais, rale dois quilos de batatas com casca (lavadas, é claro, e sem aqueles olhinhos pretos que são seus brotos) e esprema para tirar o suco; cozinhe este suco sem tampar, numa panela de barro, pedra ou esmalte (metal não pode), até a água evaporar e ficar só uma substância grossa no fundo; coma uma xícara dessa cola de batata por dia, às colheradas.

BELDROEGA

Combate o calor.

BERINJELA

Nutre, reduz o yang, alivia dores, refresca, desfaz inchaços; fortalece a pele e aumenta a força física. Tem vitamina P, que previne o endurecimento dos vasos sanguíneos e portanto é útil na prevenção e no tratamento da arteriosclerose. Faz baixar a taxa de colesterol do sangue. Grelhada, trata dos mucos e dos sangramentos hemorroidais. Em sopa, com mel, alivia a tosse. Muito útil para remover sangue estagnado da região do aquecedor inferior, quando há infecções venéreas, cistos ovarianos, miomas uterinos, dismenorréia ou amenorréia. Mas comer berinjela freqüentemente pode prejudicar o útero das mulheres que não têm estes sintomas.

BETERRABA

Promove a menstruação e os movimentos descendentes; fortifica o sangue, o yin e o Chi; abre os meridianos e expande o peito.

BROTO DE BAMBU

Ajuda a eliminar muco, também ajuda o sarampo a sair. Refresca, favorece o apetite e a digestão. É bom cozinhar com ele para contrabalançar a natureza morna ou quente das carnes.

CAFÉ

É estimulante, tônico do coração, diurético; chá (fervido) de grãos de café torrados alivia bronquite, enfisema e outros problemas pulmonares.

CAMARÃO

Pouco, reforça o yang; em excesso, favorece as supurações. É bom contra impotência (fresco) e ruim para quem tem ejaculação precoce ou perda seminal. Seco, o camarão moído e misturado com saquê (vinho de arroz) quente estimula a produção de leite.

CANA-DE-AÇÚCAR

Refresca e produz líquidos orgânicos.

CANELA

Dispersa o frio do abdômen. É útil chupar um pedacinho para aquecer o corpo.

CAQUI

Nutre, refresca, restaura forças; pouco, elimina o calor do estômago e umedece os pulmões; útil na bronquite crônica.

CARÁ

Nutre, reforça o baço e os pulmões, solidifica os rins, favorece o sêmen. Usado contra diarréia, disenteria (inclusive bacilar), tosse, diabete, espermatorréia, leucorréia, poliúria.

CARANGUEJO

Refresca, alivia estagnações sanguíneas e facilita a cura de deslocamentos e fraturas (fresco, cru, socado e misturado com um caldo quente, e/ou aplicado externamente na região afetada). Também é indicado para curar câncer do seio — aí tem que assar um caranquejo macho e um fêmea até ficarem esturricados, reduzir a pó e tomar de uma só vez com vinho de arroz (saquê). Para curar ou aliviar a tosse a receita é embrulhar um caranguejo fresco numa fralda, socar, tirar o suco e beber todo, na mesma hora.

CARNE VERMELHA

É muito fortificante do Chi e do sangue, mas deve ser consumida em pequenas quantidades, de preferência em caldos longamente fervidos. Sua digestão é difícil; o excesso produz umidade no baço, contribui para a formação de muco e satura o fígado e a vesícula de resíduos metabólicos. As estações mais apropriadas para consumir carne são o outono e o inverno, quando precisamos nos fortalecer.

CARNES DE BOI, DE CARNEIRO E DE PORCO

Podem embotar a sensibilidade das pessoas que a têm mais desenvolvida.

CARNE DE BOI

Acalma a gestação; em pequena quantidade dissipa edemas drenando a umidade, reforça o Chi, o sangue e o fígado; fortalece a visão, o baço e o estômago, os ossos e os tendões.

CARNE DE CARNEIRO

Ativa o yang, aquece o centro e os rins. Faz a pele emaciada recuperar o tônus. Cozida com alho e comida às refeições, em pequena quantidade porque sua digestão é pesada, cura problemas estomacais em geral e fortalece a ereção do pênis. Combate a síndrome frio/vazio; grelhada com alho, trata a lombalgia e a fraqueza dos membros.

CARNE DA CABEÇA DO CARNEIRO

Trata as enxaquecas, os distúrbios visuais e as convulsões infantis.

CARNE DE CAVALO

Elimina o calor.

CARNE DE CODORNA

Aumenta a resistência contra o frio e o calor. Fortifica o Chi e os cinco órgãos; combate o reumatismo causado por umidade.

CARNE DE COELHO

Reforça o aquecedor médio e neutraliza as toxinas do calor.

CARNE DE GALINHA

Ativa o aquecedor médio, reforça o princípio vital, favorece o Chi e gera medula; reduz o edema, a diarréia, a micção freqüente, o sangramento e a descarga vaginal, aumenta o leite e fortalece a mulher parida. Deve ser preparada sem a pele.

CARNE DE GALO BRANCO

Pode acalmar as perturbações mentais.

CARNE DE GANSO

Sem gordura, reforça o Chi e os cinco órgãos.

CARNE DE JAVALI

Reforça os cinco órgãos e elimina o vento dos intestinos.

CARNE DE PATO

Nutre e reforça o yin, mas esfria o corpo.

CARNE DE POMBO

Nutre os rins.

CARNE DE PORCO

Nutre o yin, tonifica os líquidos do estômago e dos rins; umedece a carne e a pele, favorece a urina e a evacuação das fezes; esfria o corpo e favorece a formação de muco. Só deve ser usada sem gordura e em caldo. Cuidado: pode embotar o psiquismo das pessoas sensíveis.

CARNE DE TARTARUGA

Em sopa, nutre o yin e fortifica o sangue.

CARPA

Comum, promove a secreção do leite, produz líquidos orgânicos e reidrata, facilita a passagem da água; acalma os movimentos fetais. Gorda, reforça o baço.

CASCA DE OVO

Posta para secar no forno e reduzida a um fino pó, pode ser tomada com água morna três vezes ao dia, antes das refeições, para reduzir o excesso de ácido gástrico e tratar úlceras gástricas e duodenais. Dose: uma colher de café. Dissolvido em limão, o grande conteúdo de cálcio desse pó é assimilado pelo organismo com facilidade.

CASTANHA PORTUGUESA

Reforça rins, baço, estômago, intestino, sangue e tendões; reforça o yang; indicada em casos de hemorragia, hemoptise, enjôo, fraqueza dos joelhos e da região lombar.

CAVALO MARINHO

Suprime edema e acúmulos no sangue.

CEBOLA

Ativa o yang, reduz o yin, regula e reforça o Chi, aquece, neutraliza toxinas. É diurética e expectorante, regula a pressão alta e fortalece os músculos. Boa contra dor de cabeça, resfriado, prisão de ventre, dores abdominais frias, dificuldade em urinar, mastite, congestão nasal, edema do rosto.

CEBOLINHA VERDE

Crua, ativa a termorregulação e ajuda a comunicação do Chi. As folhas socadas, em aplicações externas, evitam hematoma; fervidas no vinho, ou comidas ao natural, evitam a formação de coágulos internos.

CENOURA

Acalma os cinco órgãos, elimina estagnações, reforça rins, baço, estômago e intestinos; umedece os rins e fortifica o yang original.

CEREJA

Reforça o princípio original.

CEVADA

Refresca o sangue e regulariza o aquecedor médio; reforça o Chi, o sangue e o yin; lubrifica, harmoniza o estômago e expande os intestinos.

CEVADA PEROLADA

É uma semente de capim clarinha, conhecida como lágrima-de-nossa-senhora. Seu chá desintoxica, reforça o baço e os pulmões e é diurético. Está relacionado a algumas curas de câncer.

CHALOTA

Ativa o aquecedor médio e elimina o edema.

CLARA DE OVO

Ajuda a reduzir a sensação de calor no corpo, a dor de garganta e a vermelhidão dos olhos.

COCO

Fortifica; muito útil para tratar a desnutrição infantil.

COENTRO

Regula o Chi, expele o frio, reduz o yin, faz suar, facilita a digestão, remove estagnações do sangue. Ajuda o sarampo a sair, mas só deve ser usado se a erupção estiver demorando muito, e nunca depois que já começou.

COGUMELO COMUM (CHAMPIGNON)

Reforça os rins e regula a temperatura. Sua natureza equilibra a natureza morna ou quente dos peixes e das carnes. Há referência de que comer cogumelo (pouco) com regularidade evita metástase do câncer.

COGUMELO SHIITAKE

Geralmente disponível nas lojas japonesas e chinesas; em sopa, desintoxica, previne arteriosclerose, neutraliza envenenamentos por peixe, ajuda a descarregar muco e gordura dos rins e é considerado anticancerígeno.

COMINHO

Aquece os alimentos com que é cozido.

CORAÇÃO DE PORCO

Revitaliza e acalma a angústia.

CRAVO

Nutre o yang dos rins; esquenta estômago, rins, joelhos e a região lombar.

CÉREBRO DE CORDEIRO (MIOLO)

Umedece a pele e combate ulcerações ou excreções cutâneas.

COUVE-RÁBANO

Ativa o yang, reduz o yin, nutre, elimina a umidade, o frio e o sangue estagnado. Indicada nos inchaços da sinusite e dos testículos.

ENGUIA

Fortalece os cinco órgãos, os tendões e os ossos, combate o emagrecimento e as hemorróidas internas, trata o frio abdominal e os problemas ginecológicos pós-parto; elimina vento e umidade; deve ser cozida sem gordura, no vapor.

ERVA-DOCE (SEMENTE)

Reforça o yang e o Chi, reduz o yin, expele o frio, aquece os rins, harmoniza o estômago, remove estagnações do sangue.

ERVILHA

É diurética e desintoxicante.

ESPINAFRE

Elimina toxinas, fortalece o sangue, clareia a visão e abre os orifícios. O caldo da planta inteira, com raiz e tudo, fervido durante duas horas, combate a ressaca e o alcoolismo; também trata a dor de garganta que dá no verão quando se come muita gordura. Não é recomendado em caso de diarréia ou ejaculação precoce, por ser viscoso.

FARELO DE TRIGO

Além de ser extremamente útil para aumentar o teor de fibras das refeições, é indicado contra diabete numa sopa em que entram seis partes de farelo para quatro de qualquer farinha, ovos e vegetais variados. A sopa deve ser tomada em todas as refeições, e na maioria dos casos tratados deixou de haver açúcar na urina após um mês de tratamento. (Conforme Henry C. Lu, no livro Chinese system of food cures.)

FARINHA DE CEVADA

Refresca o sangue e suprime estagnações.

FEIJÃO AZUKI COMPRIDO

Com cereais, aquece e reforça os rins; reduz a umidade; emagrece o gordo úmido (ver A dieta do Yin e do Yang, João Curvo); é útil no tratamento de edema, hepatite, diarréia, furúnculos, caxumba; desintoxica; harmoniza o sangue.

FEIJÃO AZUKI REDONDO

É o feijãozinho vermelho comum, mas chamam de azuki; ativa a circulação de energia e o fluxo menstrual quando ele falha.

FEIJÃO BRANCO

Esfria o corpo e favorece a formação de muco.

FEIJÃO-DE-CORDA

Reforça os rins e o baço; a sopa, feita com o feijão e suas vagens e tomada uma vez por dia, trata a diabete, o excesso de urina e a sede. Indicado contra espermatorréia com sonhos eróticos e leucorréia.

FEIJÕES

Em geral, têm um efeito positivo sobre os rins e os órgãos sexuais e absorvem a umidade. Não são aconselháveis para pessoas muito magras. É importante ficarem de molho na véspera e serem temperados com sementes tipo cominho e coentro, cuja natureza morna compensa a natureza quase sempre neutra ou fria dos feijões. Os grandes, como feijão-manteiga, feijão branco e outros, são menos indicados.

FÍGADO DE BOI OU DE VITELA

Nutre o sangue e reforça o fígado, aguça a visão, reduz glaucoma e cegueira noturna.

FÍGADO DE CAVALO

Grelhado, trata as estagnações menstruais.

FÍGADO DE CORDEIRO

Reforça o fígado, o sangue e a visão.

FÍGADO DE GALINHA

Nutre, ativa o yang, reduz o yin, expulsa o frio, reforça o fígado e os rins, remove estagnações sanguíneas.

FÍGADO DE GALO

Reforça os rins.

FÍGADO DE PORCO

Reforça o fígado e o sangue.

FIGO

Consolida o estômago, purifica os intestinos e reforça o pulmão. Contra faringite, constipação, hemorróida, disenteria, enterite, carbúnculos.

FRAMBOESA

Nutre, reforça rins e fígado, regula a micção, melhora a visão. Indicada contra impotência, espermatorréia, poliúria, enurese, fadiga por deficiência, visão turva.

FRUTAS

Em geral, refrescam o corpo e geram líquidos orgânicos.

FOLHA DE MOSTARDA

Ativa o yang, reduz o yin, regula e favorece o Chi, ativa o aquecedor médio e combate o frio, remove estagnações do sangue, expande os pulmões, elimina catarro; indicada contra tosse, peito congestionado, catarro frio.

GELÉIA REAL

É o alimento que faz as abelhas-rainhas viverem cinco anos, enquanto as operárias vivem poucos meses. Embora não faça parte da tradição chinesa, é amplamente indicada contra hepatite, flebite, neurastenia, desnutrição, artrite reumatóide, anemia e úlcera gástrica.

GENGIBRE

Ativa o aquecedor médio, abre os meridianos; elimina as obstruções dos orifícios, ativa o yang, reduz o yin, regula e favorece o Chi, expele o frio, reforça os tendões. Seco: contra pés e mãos frios, reumatismo, enjôo matinal, diarréia aguada, vômitos. Fresco: contra gripes e resfriados, vômitos, catarro, tosse, diarréia, reumatismo, orquite aguda.

GERGELIM

Reforça o fígado e os rins, e combate o reumatismo causado por vento.

GERME DE TRIGO

Ativa o yang, regula e beneficia o Chi, refresca, modula o yin, remove sangue estagnado, alivia a depressão mental.

GERSAL

Paçoca salgada feita de gergelim torrado e moído com sal, estimula o apetite e é fortificante. Proporção: doze a quinze colheres de gergelim para uma de sal. Atenção ao torrar para que as sementes não queimem.

GIRASSOL

Em sementes e óleo, acalma o fígado, trata vertigens e corrimentos brancos.

HORTELÃ

Refresca, regula o Chi, neutraliza toxinas, remove estagnações do sangue; contra febre, dor de cabeça, de garganta e de dente, enxaqueca, cancros, problemas da pele.

INHAME

Ativa o yang, regula o Chi, reforça e remove estagnações do sangue, dispersa coágulos; indicado no tratamento de inchaços abdominais, escrófula, psoríase e queimaduras.

LEITE DE COCO

Nutre, ativa o yang, reduz e rega o yin, remove estagnações do sangue, expele o frio, refresca e mata a sede no verão; indicado no tratamento de diabete, hemoptise e edema.

LEITE DE OVELHA

Reforça o princípio vital; quente, aquece os rins.

LEITE DE VACA

Fresco, nutre o sangue do coração, reforça os pulmões e o estômago, produz fluidos orgânicos e lubrifica os intestinos, umedece a pele e neutraliza toxinas do calor. Para fortificar os convalescentes, ferver um copo de leite com quatro copos de água, em fogo baixo, até o líquido se reduzir a uma xícara; deve ser bebido lentamente, em jejum, até as forças voltarem. Um copo de leite quente, misturado com meio copo de sumo fresco de cebolinha verde e três colheres de sumo de gengibre fresco, alivia problemas estomacais. Para melhorar a disposição dos diabéticos e diminuir a freqüência da micção, beber diariamente leite de vaca misturado com leite de ovelha, meio a meio. Mas tudo isso se refere a leite natural, saído da teta da vaca para a caneca do freguês. Quando é pasteurizado o leite se torna difícil de digerir, porque perdeu algo que os chineses chamam de fogo da vida no processo de resfriamento, e tende a produzir muito mais muco no organismo; nesse caso, melhor usar iogurte ou coalhada caseiros.

LIMÃO

Elimina o calor e reforça o fígado.

LITCHI

Frutinha chinesa que aqui se encontra em conserva. Reforça o yang e o aquecedor médio; estimula a memória e a inteligência.

LOURO

Regula e reforça o Chi, remove estagnações do sangue, reduz o frio, reduz o yin.

MAÇÃ

Abre o apetite, nutre, reduz o yang, produz líquidos orgânicos, refresca, alivia o calor do verão, lubrifica os pulmões, suprime o mal-estar torácico e a agitação interna, removendo a depressão mental. Cozida no forno reforça o aquecedor médio.

MALTOSE

Ativa o yang, reduz o yin, nutre, favorece os órgãos, cria líquidos orgânicos, reduz sintomas agudos de fadiga, dores abdominais, tenesmo, tosse seca, sede, dor de cabeça e de garganta, constipação; expulsa o frio, relaxa o aquecedor médio. Algumas colheres de maltose diluídas em água quente, tomadas várias vezes ao dia, aliviam dor de estômago e neutralizam efeitos da overdose de drogas. Dor de garganta: deixe a maltose assar até dourar e tome uma colher de chá dissolvida em água quente, duas vezes ao dia.

MAMÃO

Nutre, reduz umidade, refresca, beneficia o estômago, facilita o trânsito intestinal e a micção, ajuda a tratar o reumatismo causado por umidade.

MANGA

Nutre, refresca, reduz o yang, favorece o estômago, mata a sede, é diurética; indicada contra tosse e doenças do pulmão.

MANJERICÃO

Aquece os alimentos com que é cozido. Remove estagnações do sangue, reduz o yin, dispersa o vento, reforça e regula o Chi, neutraliza toxinas. Bom contra dor de cabeça de causa externa, inchaço e dores abdominais, diarréia, irregularidades menstruais, prurido e erupções da pele.

MANTEIGA

Nutre, remove estagnações sanguíneas, expele o frio, reduz o yin; indicada contra sarna, erupções cutâneas e odores corporais fortes. Favorece a formação de muco, e em excesso pode reativar doenças latentes.

MARISCO

De água salgada atua no estômago, elimina o muco, facilita a passagem dos fluidos e amacia a rigidez; marisco de água doce desintoxica, aguça a visão, atua no fígado e nos rins. Cozido com cebolinha verde e comido às refeições trata a tuberculose pulmonar, os suores noturnos e o bócio. Marisco seco reforça os rins, o fígado e a quintessência.

MEDRONHO

Fruto semelhante ao morango na cor e na forma; harmoniza os cinco órgãos.

MEL

Nutre a energia do baço e acalma os cinco órgãos. Desintoxica, lubrifica, alivia a dor, dá fluidez aos mucos; indicado em casos de sinusite, tosse, prisão de ventre e dor de estômago. Contra-indicado quando há reumatismo. Suprime a agitação interna e as dores musculares, clareia a visão, reforça o baço e o centro, faz os três aquecedores se comunicarem. Pouco, é bom contra hipertensão arterial. Meia xícara de mel fervido, tomada de estômago vazio três vezes por dia durante duas a três semanas, trata úlceras gástricas e duodenais; meia xícara, misturada com água quente e tomada uma vez por dia, trata dor de estômago, problemas cardíacos e coronários, hipertensão, constipação e neurastenia. Contra insônia: duas ou três colheres de mel dissolvidas em água quente, à noite e de manhã. Aumentar a dose, à noite, conforme o caso. Contra prisão de ventre: em jejum, tomar duas colheres de mel diluídas em água quente. Em uso externo, trata queimaduras, fissuras das hemorróidas e feridas cancerosas.

MELANCIA

Refresca; nutre, reforça o yin, mata a sede; seu suco e sua casca são hipotensivos e diuréticos; alivia a depressão mental.

MELÃO

Refresca e suprime a agitação interna.

MILHO

Abre o apetite, reforça o estômago, é diurético, acalma o coração, fortalece a sexualidade, regula o aquecedor médio. Para ser bem assimilado deve ser cozido com cal ou cinzas, à moda antiga.

MISSO

Massa de soja salgada e fermentada, com ou sem cereais adicionados durante o processo; encontrada em lojas japonesas, chinesas e de produtos naturais; limpa os pulmões, reforça os intestinos, favorece a digestão e tempera sopas, pastas e molhos.

MOELA DE GALINHA

Nutre o estômago e o baço-pâncreas; indicada contra indigestão, vômitos, diarréia, desnutrição, diabete, dor de garganta, enurese, poliúria.

MORANGO

Nutre, ativa o yang, aquece, estimula os rins e o fígado, regula a micção, remove estagnações do sangue; indicado no tratamento de poliúria, vertigem e enjôos de viagem.

NABO

Ativa o yang, reduz o yin, drena umidade, faz suar e elimina o frio, abre o apetite, neutraliza toxinas, refresca, regula o Chi, reforça o sangue. Indicado para tratar indigestão, hepatite, diabete e mastite. Em doses moderadas dissolve inchaços, em excesso provoca.

NINHO DE ANDORINHA

Construído com as substâncias salivares de muitas aves, reforça o yin e o yang.

NOZ

Consolida o princípio vital e umedece os intestinos; reduz o yin; pouca, reforça os rins e o cérebro, acalma a asma, fortalece o esperma. Indicada contra tosse, asma, lumbago, fezes ressecadas, espermatorréia, impotência.

NOZ-MOSCADA

Ativa o yang e o aquecedor médio, reduz o yin, regula e favorece o Chi, remove sangue estagnado, ajuda a digestão, consolida os intestinos; contra inchaço e dores abdominais, vômitcs, diarréia, indigestão.

ÓLEO DE AMENDOIM

Nutre, lubrifica os intestinos, move os acúmulos para baixo; muito útil nas obstruções intestinais, sobretudo as causadas por vermes, e também contra hepatite aguda e conjuntivite.

ÓLEO DE GERGELIM

Trata as dores abdominais causadas por excesso de comida, neutraliza toxinas e é laxante; em uso externo trata a sarna, e associado a massagens alivia fadiga e dores reumáticas. É bom para a pele. Neutraliza toxinas e favorece a formação de músculos.

ÓLEO DE GIRASSOL

Combate a tendência à hipertensão arterial.

ÓLEOS EM GERAL

São mais saudáveis quando prensados a frio. Mais caros também, o que ajuda a usar em pequenas quantidades.

ORÉGANO

Ativa o yang, reforça o sangue, remove estagnações do sangue, faz suar eliminando umidade; contra resfriado, tosse, vômito, congestão no peito, diarréia, hepatite, raquitismo, prurido e leucorréia.

OSTRA

Reforça o yin, suprime o muco e trata os corrimentos; lubrifica, nutre o sangue, impede suores excessivos e melhora a espermatogênese. Eficiente no tratamento de erisipela, nervosismo, insônia e indecisão.

OURIÇO

Dispersa os nós energéticos, a plenitude e as dores da região torácica.

OVOS

Devem ser consumidos moderadamente, duas ou três vezes por semana. Comidos sem outros alimentos esfriam o corpo.

OVO DE CODORNA

Reforça os rins e o yang.

OVO DE GALINHA

Nutre o yin e o sangue; umedece a secura; útil no tratamento de tosse, conjuntivite, dor de garganta, diarréia e queimaduras; ajuda a segurar o feto no útero.

OVO DE PATA

Nutre o rim e elimina o calor do diafragma.

OVO DE POMBA

Reforça o yang, os rins e o Chi.

PAINÇO

Favorece a formação de Chi, regulariza o aquecedor médio e estimula os meridianos do intestino grosso, do estômago, dos pulmões e dos rins.

PEPINO

Ajuda a tratar sede, depressão mental, dor de garganta, conjuntivite; facilita a circulação de líquidos; suprime o calor do tórax e os inchaços dolorosos e quentes da garganta. O pepino velho, amarelado, fervido em sopa, alivia a tosse seca do outono. Comer pepino faz bem à pele e evita a acne, já que ela geralmente se deve ao excesso de calor no estômago e nos pulmões e o pepino tem ação refrescante sobre eles. Aplicado externamente, o suco do pepino fresco faz secar as espinhas e trata as queimaduras.

PÊRA

Cozida, nutre o yin dos cinco órgãos. Crua, pouca, dissolve muco e neutraliza as toxinas dos furúnculos e do álcool. Refresca as entranhas e o coração e trata as plenitudes do tórax. Reduz o yang, lubrifica a secura. Muito boa contra diabete, tosse quente, intestinos secos.

PERNA DE RÃ

Fresca, reforça os pulmões em caso de tosse renitente.

PÊSSEGO

Nutre, favorece o Chi, ativa o yang e o sangue, aquece, produz fluidos, lubrifica os intestinos, elimina acúmulos e favorece a menstruação. Bom contra indigestão; também para tratar tosse seca e pulmões quentes.

PIMENTA BRANCA

É analgésica e indicada no tratamento de resfriados, tosse, dor de garganta, de dente e de estômago, artrite reumatóide, disenteria e elefantíase dos membros inferiores. Bob Flaws diz que sua energia é fria.

PIMENTA-DO-REINO

Pouca, elimina os mucos causados pelo frio; ajuda a digestão, regula os órgãos digestivos abalados pelo frio, pode ser útil em caso de nefrite, neurastenia e doenças da pele.

PISTACHE

Aquece o baço e os rins.

POLVO

Nutre, refresca, lubrifica, reforça o Yin; indicado no tratamento de carbúnculos.

PRESUNTO FRESCO

Reforça o baço, produz líquidos orgânicos, estimula o apetite e move a energia para baixo. Prolongados ataques de soluço podem ser tratados com caldo de presunto, desengordurado e fervido várias horas.

QUEIJOS
Reforçam o sangue e o princípio vital. Queijo de vaca nutre o yin e umedece o intestino grosso. Queijo fresco e magro de cabra ou ovelha combate a constipação e a secura dos músculos. Queijo fermentado de cabra ou ovelha, em pouca quantidade, é muito estimulante. Queijo gorduroso gera muco nasal e corrimentos brancos.

RABANETE
Previne gripes, resfriados e infecções respiratórias; o suco, misturado com suco de gengibre, cura laringite; indicado no tratamento de indigestão, inchaço abdominal, tosse com catarro, diabete, dor de cabeça occipital, hemoptise, epistaxe, disenteria e tricomonas vaginais.

RAIZ-DE-LÓTUS
Nutre, refresca, favorece o yin e o baço, abre o apetite, produz músculos; cozida, é útil contra anorexia e diarréia. O caldo, ou chá, ajuda a eliminar muco.

REPOLHO
Reforça os cinco órgãos, as vísceras, os ossos e as medulas, o Chi e o sangue; clareia a visão e a audição; alivia a depressão mental e ajuda a digestão.

RIM DE BOI
Reforça o princípio vital e combate o reumatismo devido a umidade; fortalece os rins e trata as dores lombares; preparado com papa de arroz aumenta a capacidade sexual e cura a impotência.

RIM DE CARNEIRO
Reforça o yang, a medula e o princípio vital; fortalece a ereção e a capacidade sexual. Indicado para tratar fadiga, dores lombares e de coluna, diabete, poliúria, enurese, pernas e joelhos fracos, surdez e impotência.

SAL
É antisséptico, cicatrizante, ótimo remédio para lavar erupções cutâneas e aliviar comichões em torno de furúnculos e outras; torrado e bebido com água quente alivia indigestão e intoxicação devidas a peixe ou carne; beber água salgada em jejum resolve a prisão de ventre; gargarejar com ela trata as dores e inflamações de garganta; e tudo o que reforça os rins faz mais efeito quando leva uma pitada de sal. No verão pode ajudar a refrescar o corpo, no inverno regula o Chi e reforça o yin dos rins. Mas é bom lembrar que o sal de cozinha é considerado um sabor tóxico cujo excesso reduz a energia circulante, enfraquece a essência, os ossos, os músculos, a carne, a presença de espírito, o bom humor.

SALSA
Consolida os rins.

SARGAÇO
Um tipo de alga marinha, útil nas dores testiculares.

SEMENTE DE GIRASSOL

Em chá (descasque dez a vinte sementes, soque e ferva com água) faz o sarampo sair.

SHOYU

É o nome que se dá no Brasil ao molho obtido da fermentação da soja com sal (o nome japonês correto é tamari, enquanto shoyu se refere ao líquido grosso que sobra da fermentação destinada a produzir misso, a massa fermentada de soja, através de outro processo). Mais leve do que o misso, e muito saboroso, o shoyu substitui o sal na maior parte dos temperos com a vantagem de acrescentar micronutrientes de alto valor biológico e fácil assimilação. É bom evitar as marcas que usam glicose ou similar para apressar a fermentação e acrescentam à fórmula glutamato de sódio — base do aji-no-moto — que pode ser muito prejudicial à saúde. O melhor shoyu do eixo Rio—São Paulo é produzido pelo instituto macrobiótico do professor Tomio Kikuchi. Entre as marcas comerciais, a Kikkoman é de toda confiança.

SOJA VERDE

Elimina muco, neutraliza toxinas, combate urticária e erupções infecciosas.

TABACO

Em pequena quantidade, é medicinal: o suco ou chá de suas folhas, bem como os cigarros feitos das folhas secas, podem eliminar coágulos sanguíneos e dores reumáticas, aquecendo o corpo todo e especialmente o útero. Fumar por hábito não só intoxica como seca o organismo e aquece demais os pulmões, que assim, quentes e secos, ficam mais sujeitos a adoecer.

TANGERINA

Reduz o yang, abre o apetite, produz líquidos, refresca, umedece a secura dos pulmões. Indicada contra diabete, vômito, peito congestionado e soluço.

TOFU (QUEIJO DE SOJA)

Nutre, reduz o yang, reforça o yin, harmoniza o aquecedor médio, produz fluidos, lubrifica a secura, neutraliza as toxinas; elimina o calor e dissolve as estagnações sanguíneas; harmoniza o baço e o estômago; aplicado externamente, sobre uma gaze colocada em cima da região afetada, trata a erisipela das pernas e as hemorróidas inchadas; na testa absorve o calor da febre alta, impedindo-a de afetar as membranas do cérebro, e no tórax absorve o calor dos pulmões em caso de pneumonia. Útil para tratar conjuntivite, disenteria amebiana crônica, diabete e alcoolismo. Contra-indicado na espermatorréia.

TOMATE

Se for usado em pouca quantidade harmoniza o estômago e o fígado, ajuda a digestão, produz líquidos orgânicos e refresca; cru, no verão, neutraliza o calor; no outono, cozido, combate a tendência à secura. Indicado no tratamento da anorexia.

TORONJA (GRAPEFRUIT)

Elimina gases do estômago e dos intestinos.

TRIGO

Nutre o coração e favorece os rins; vitaliza, refresca e combate a secura dos órgãos.

TRIGO-SARRACENO

Nutre, refresca, reduz o yang, aumenta o apetite, expande os intestinos, elimina acúmulos. Bom para apressar a maturação de furúnculos e tratar erisipelas. À noite, pode predispor à insônia.

UVA

Reforça o sangue, nutre os fluidos renais e acalma a tosse; tonifica o yin do fígado; reduz as palpitações e o medo acompanhados de suores; em muita quantidade pode gerar calor.

VAGEM

É diurética e desintoxicante.

VINAGRE

Os melhores são os de arroz, maçã ou cidrã, que evitam dilatações e formação de gorduras, dispersam coágulos e, em pequenas quantidades, estimulam o apetite e são úteis à digestão das carnes. Vinagre de álcool é prejudicial à saúde; de vinho pode ser bom, se o processo de obtenção for natural.

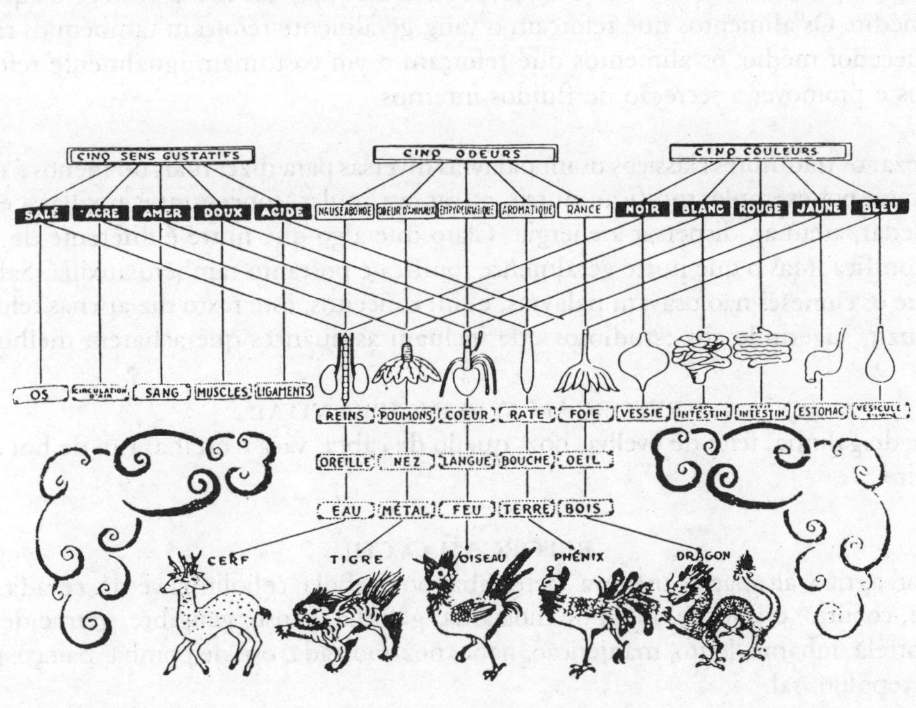

RÁPIDA REFERÊNCIA

Este índice é só para facilitar sua consulta; quando localizar o alimento com a referência desejada procure o verbete no Banco da Cozinha para saber detalhes e veja nas tabelas se as outras qualidades que ele possui combinam com o efeito que você pretende. Importante — nem tudo o que está lá está cá, e vice-versa, de modo que é bom você passar os olhos em todas as páginas.

Dica preciosa de Bob Flaws (Prince Wen Hui's cook), médico muito fiel à tradição chinesa: o yang freqüentemente é excessivo, mas o yin tende a ser deficiente; por isso os rins, que são a raiz do yin, precisam quase sempre de reforço. Uma das táticas mais certeiras para proteger a saúde é a que reforça o yin e o yang dos rins e protege o aquecedor médio. Os alimentos que reforçam o yang geralmente reforçam também os rins e o aquecedor médio; os alimentos que reforçam o yin costumam igualmente reforçar os rins e promover a secreção de fluidos internos.

Sutileza: os tradutores clássicos usam palavras diversas para dizer mais ou menos a mesma coisa, por exemplo: tonificar, nutrir, ativar, estimular, concentrar e auxiliar a energia; sedar, atenuar, dispersar a energia. Claro que algo que nutre é diferente de algo que tonifica. Mas o que nutre geralmente tonifica e portanto também auxilia. Sabendo que os chineses não usavam palavras, e sim conceitos, este texto diz apenas reforçar e reduzir, sugerindo aos estudiosos que incluam as nuances que acharem melhor.

REFORÇAM O PRINCÍPIO VITAL

Carne de galinha, leite de ovelha, noz, queijo de cabra, vaca e ovelha, rim de boi e de carneiro.

REFORÇAM O CHI

Açúcar, agrião, alcaparra, anchova, beterraba, boi, cebola, cebolinha verde, cevada, codorna, coentro, erva-doce, folha de mostarda, galinha, ganso, gengibre, germe de trigo, hortelã, inhame, louro, manjericão, nabo, noz-moscada, ovo de pomba, painço, pêssego, repolho, sal.

REFORÇAM O SANGUE

Anchova, agrião, batata-doce, berinjela, beterraba, boi, castanha portuguesa, cevada, espinafre, feijão azuki; fígado de boi, vitela, cordeiro, porco; leite de vaca, nabo, orégano, ostra, ovo de galinha, pêssego; queijos de cabra, vaca e ovelha; repolho, tartaruga, uva.

REMOVEM ESTAGNAÇÕES DO SANGUE

Açafrão (os estames), açafroa (a flor), açúcar mascavo, agrião, alcaparra, alho, amasake, arroz moti, berinjela, caranguejo, cavalo marinho, cenoura, cevada, coentro, couve-rábano, erva-doce, fígado de cavalo, folha de mostarda, germe de trigo, hortelã, inhame, leite de coco, louro, manjericão, morango, noz-moscada, orégano, papaia, tofu.

REFORÇAM O YIN

Amora, batata-inglesa, beterraba, cação, caqui, cevada, feijãozinho verde, gengibre, leite de coco, melancia, melão, ninho de andorinha, nori, ostra, ovo de galinha, painço, pato, pêra, polvo, porco, queijo de vaca, sal, sardinha, tartaruga, tomate, uva, viola.

REDUZEM O YIN

Açúcar mascavo, alcaparra, alho, cebola, coentro, couve-rábano, erva-doce, fígado de galinha, folha de mostarda, gengibre, louro, maltose, manjericão, manteiga, nabo, noz, noz-moscada.

REFORÇAM O YANG

Abóbora, alcaparra, alho, alho-poró, amasake, anchova, arroz moti, batata-doce, camarão, carne de carneiro, castanha portuguesa, cebola, cenoura, cereja, coentro, couve-rábano, cravo, erva-doce, fígado de galinha, folha de mostarda, framboesa, gengiobre, germe de trigo, leite de coco, litchi, maltose, manteiga, morango, nabo, ninho de andorinha, noz-moscada, orégano, ovo de codorna, ovo de pomba, pimenta do reino, rabanete, rim de carneiro.

REDUZEM O YANG

Aipo, aspargo, berinjela, cevada, cogumelo, glúten, maçã, manga, margarida (a flor), pepino, pêra, tangerina, tofu, trigo-sarraceno.

REFORÇAM O AQUECEDOR MÉDIO

Abóbora, alho-poró, arroz, carne de coelho, carne de galinha, cevada, chalota, litchi, maçã, painço.

PRODUZEM UMIDADE E FLUIDOS ORGÂNICOS

Açúcar mascavo, ágar-ágar, algas marinhas, algas kelp, aspargo, azeitona, broto de bambu, banana madura e frutas em geral, cana-de-açúcar, caqui, carambola, caranguejo, carnes de pato, ganso e porco, carne de tubarão (cação, viola, etc), cenoura, cérebro de cordeiro, espinafre, feijão soja, gergelim preto, kuzu (raiz parecida com araruta), leite e laticínios, leite de coco, maçã, maltose, marisco, mexilhão, noz, ovo, pepino, pêssego, pinhão, polvo, repolho, sardinha, tangerina, tofu, tomate, trigo.

REDUZEM UMIDADE E FLUIDOS ORGÂNICOS

Abóbora, alfafa, alho, alho-poró, anchova, camarão, castanha portuguesa, cevada, cevada perolada (lágrima-de-nossa-senhora), cogumelo comum, couve-rábano, enguia, feijão azuki e outros feijões pequenos em geral, folhas de mostarda, galinha, milho, nabo, rabanete.

REDUZEM O CALOR

Alface, algas, aveia, banana, beldroega, berinjela, broto de bambu, cana-de-açúcar, caqui, caranguejo, carnes de cavalo, coelho e pato, cebolinha verde, clara de ovo, espinafre, leite de vaca, limão e outras frutas cítricas, maçã, melancia, melão, nabo, ovo de pata, painço, papaia, pepino, pêra, tangerina, tofu, tomate, trigo.

REDUZEM O FRIO

Abóbora, açúcar mascavo, alho, amasake, anchova, canela, carnes de carneiro e de codorna; castanha portuguesa, arroz moti, cebola, cebolinha verde, cenoura, enguia, galinha, leite de coco, maltose, mexilhão, pêssego, rim.

LUBRIFICAM OS INTESTINOS

Leite, maçã, mel, mexilhão, nozes, óleos de amendoim e gergelim, pêra, pêssego, queijo.

REFORÇAM OS CINCO ÓRGÃOS

Carnes de codorna, ganso e javali; cenoura, enguia, medronho, mel, pêra, repolho.

NEUTRALIZAM TOXINAS

Alho, arenque, cebola, azeitona, espinafre, hortelã, manjericão, leite de vaca, nabo, gergelim, óleo de gergelim, pêra, soja verde, tofu.

ALCOOLISMO

Espinafre, alface romana, tofu.

ARTERIOSCLEROSE

Berinjela, cogumelo shiitake.

AUDIÇÃO

Repolho.

BAÇO

Alho, arroz, arroz moti, açúcar mascavo, batata, carne de boi, carpa, castanha portuguesa, cenoura, cevada perolada, feijão-de-corda, mel, pistache, presunto fresco, tofu.

CALMANTES

Alface, cenoura, mel, milho.

CALVÍCIE PRECOCE

Alecrim.

CÂNCER

Caranguejo, cevada perolada, cogumelo.

CAPACIDADE SEXUAL

Feijões, rim de boi e de carneiro.

CICATRIZANTES

Banana madura, sal.

CONJUNTIVITE

Óleo de amendoim, ovo de galinha, pepino.

CORAÇÃO

Café, leite de vaca, milho, papaia, pêra, trigo.

DEPRESSÃO MENTAL

Germe de trigo, maçã, melancia, pepino, repolho.

DESCARGAS VAGINAIS

Algas kelp, aipo, carne de galinha, girassol.

DESINTOXICANTES

Abóbora, alcachofra, carne de coelho, cevada perolada, cogumelo shiitake, ervilhas, espinafre, feijão azuki, leite de vaca, marisco, mel, sal, vagem.

DIABETE

Farelo de trigo, feijão-de-corda, leite de vaca e de ovelha.

DIGESTÃO

Broto de bambu, coentro, misso, sal, vinagre.

DIURÉTICOS

Alface, arroz, café, cevada perolada, ervilha, melancia, milho, vagem.

DOR DE CABEÇA

Cebola, alecrim, hortelã, maltose, manjericão.

DOR LOMBAR

Arroz moti, carne de carneiro, cravo, rim de boi.

EDEMA

Algas kelp, carne de boi, carne de galinha, cavalo-marinho, chalota, feijão azuki.

EJACULAÇÃO PRECOCE

Contra-indicados: camarão, bertalha, espinafre.

ENXAQUECA

Centeio, hortelã, carne da cabeça do carneiro.

EREÇÃO

Carne e rim de carneiro.

ERISIPELA

Tofu.

ESPERMATOGÊNESE

Ostra favorece.

ESPERMATORRÉIA

Feijão-de-corda, noz, framboesa. Tofu é contra-indicado.

ESTÔMAGO

Alho, amendoim, batata, caqui, carne de porco, carne de vaca, castanha portuguesa, cenoura, cravo, figo, leite de vaca, maltose, marisco, mel, milho, pepino, painço, tofu, toronja.

FEBRE ALTA

Tofu, aplicado em compressa fria na cabeça.

FÍGADO

Açúcar refinado, fígado de boi, vitela, cordeiro, porco, gergelim, girassol, limão, marisco fresco e seco, uva.

FURÚNCULOS

Bardana, feijão azuki comprido, pêra, sal; compressa de inhame cru, ralado sem casca, misturado com dez por cento de gengibre ralado.

GARGANTA

Clara de ovo, espinafre, maltose, pepino, sal.

GRAVIDEZ

Carpa, carne de boi; algas marinhas são contra-indicadas.

GRIPE, RESFRIADO, INFECÇÃO RESPIRATÓRIA

Rabanete.

HIPERTENSÃO

Aipo, cebola, mel, melancia, óleo de girassol, alga nori.

HEMORRÓIDA

Ágar-ágar, alho-poró, banana cozida, chá de bardana, berinjela, castanha portuguesa, enguia, mel, tofu.

IMPOTÊNCIA

Alho-poró, camarão (contra-indicado para ejaculação precoce), rim de boi e de carneiro, framboesa, noz.

INSOLAÇÃO

Abacaxi.

INSÔNIA

Abacaxi, amora, mel, ostra. Contra-indicado: trigo-sarraceno.

INTESTINOS

Banana madura, carne de javali, castanha portuguesa, cenoura, figo, leite de vaca, misso, noz, pêssego, painço, queijo de vaca, toronja.

LEITE MATERNO

Alface, camarão seco com saquê, amendoim.

MAGREZA

Enguia.

MASTITE

Cebola, nabo.

MENSTRUAÇÃO

Beterraba, feijão azuki redondo, fígado de cavalo, pêssego.

MUCO

Berinjela, broto de bambu, carne de porco, cebola, cogumelo shiitake, feijão branco, manteiga, marisco, mel, ostra, pêra, pimenta, queijos gordurosos, soja verde.

MÚSCULOS

Banana seca, cebola, queijo fresco e magro.

OSSOS

Carne de boi, enguia, repolho.

OTITE

Alho-poró.

PELE

Berinjela, carne de porco, cérebro de cordeiro, leite de vaca, pepino, sal, soja verde.

PNEUMONIA

Tofu, em compressa fria sobre o peito para reduzir o calor.

PRISÃO DE VENTRE

Banana madura, beterraba, mel, sal, queijo fresco e magro de cabra e ovelha.

PROBLEMAS GINECOLÓGICOS PÓS-PARTO

Enguia.

PULMÕES

Amendoim, açúcar mascavo, banana madura, café, caqui, cevada perolada, leite de vaca, misso, painço, pepino, perna de rã, tofu.

QUEIMADURA

Batata-inglesa, inhame, mel, pepino.

RESSACA

Espinafre, pêra.

REUMATISMO

Atum, carne de codorna, sementes e óleo de gergelim, papaia, rim de boi, sorgo, tabaco; mel é contra-indicado.

RINS

Aipo, alho-poró, camarão, carne de carneiro, carne de pombo, carne de porco, castanha portuguesa, cenoura, cogumelo, cogumelo shiitake, cravo, feijões em geral, fígado de galo, gergelim, leite de ovelha, marisco fresco, marisco seco, noz, ovo de codorna, ovo de pomba, painço, pistache, rim de boi, sal, salsa, trigo.

SARAMPO

Semente de girassol.

SARNA

Óleo de gergelim.

SEDE

Feijão-de-corda, maltose.

SENSIBILIDADE

Carnes de porco, boi e carneiro podem embotar a sensibilidade das pessoas que a têm mais desenvolvida.

SOLUÇO

Algas kelp, gersal, sal, tangerina.

SUORES NOTURNOS

Marisco.

TENDÕES

Aveia, enguia, gengibre.

TESTÍCULOS

Algas kelp, sargaço.

TOSSE

Berinjela, caranguejo, cebola, maltose, pepino, perna de rã, uva.

TUBERCULOSE PULMONAR

Marisco.

ÚLCERAS

Acelga, batata-inglesa, casca de ovo, geléia real, mel.

ÚTERO

Tabaco.

VISÃO

Amora, espinafre, carne da cabeça do carneiro, fígados de boi, vitela e cordeiro, framboesa, marisco, mel, repolho, clara de ovo. Contra-indicado: alface em excesso.

AS CONTRA-INDICAÇÕES

AÇÚCAR MASCAVO

Aumenta o catarro.

AÇÚCAR REFINADO

Por ser doce demais é considerado tóxico. O consumo freqüente e/ou excessivo enfraquece o aquecedor médio, retarda a atividade do fígado, produz umidade demais e esgota o yang dos rins. Move fortemente a energia para cima, provocando um excesso na parte superior do corpo e deficiência na parte inferior. Isso ocasiona muco, hiperatividade, aumento de peso/umidade, fadiga e desordens mentais/emocionais.

AIPO

Piora a escabiose (sarna).

ALFACE

Contra-indicada quando há doenças dos olhos; pode turvar a visão.

ALHO

Pode piorar doenças dos olhos, dos dentes, da língua e da garganta.

ARENQUE

Contra-indicado quando há erupções da pele e nas convalescências.

ASPARGO

Contra-indicado em excesso, por ser levemente tóxico, e em tosses e resfriados do frio.

BERINJELA

Muito útil para remover sangue estagnado da região do aquecedor inferior, quando há infecções venéreas, cistos ovarianos, miomas uterinos, dismenorréia ou amenorréia. Mas comer berinjela freqüentemente pode prejudicar o útero das mulheres que não têm estes sintomas.

CARNE VERMELHA

Sua digestão é difícil; o excesso produz umidade no baço, contribui para a formação de muco e satura o fígado e a vesícula de resíduos metabólicos. As estações mais apropriadas para consumir carne — em pequena quantidade, e de preferência em caldos longamente fervidos — são o outono e o inverno, quando precisamos de tonificação.

COENTRO

Ajuda o sarampo a sair, mas só deve ser usado se a erupção estiver demorando muito, nunca depois que já começou.

COGUMELO

Comer muita quantidade pode prejudicar o Chi.

COMER OU BEBER COISAS FRIAS OU GELADAS

Faz com que o aquecedor médio trabalhe dobrado para colocar tudo na temperatura adequada ao interior do corpo; o esfriamento aumenta o potencial de formação de muco; o fogo digestivo se enfraquece, prejudicando a assimilação e a eliminação.

COUVE-RÁBANO

Durante convalescências ou quando há erupções na pele, não convém.

FEIJÃO AZUKI

Piora os magros e macilentos.

FOLHAS DE MOSTARDA

Evitar quando há erupções da pele, doença dos olhos, hemorróidas, hemorragia anal e doenças quentes em geral.

GERGELIM PRETO

Não é bom em caso de intestino solto.

GUARDAR COMIDA NA GELADEIRA

Na tradição chinesa isso não existia, mas autores modernos como Bob Flaws alegam que a comida requentada já perdeu seu aroma, seu espírito, sua vida; também trocou as qualidades do fogo pelas do frio, e na volta ao fogo fica fatigada, tornando-se vazia de energia.

LEITE DE VACA, CABRA E OVELHA

Quando é pasteurizado o leite se torna difícil de digerir, porque perdeu algo que os chineses chamam de fogo da vida no processo de resfriamento, e tende a produzir muito mais muco no organismo; nesse caso, melhor usar iogurte ou coalhada.

MANGA

Piora resfriado, indigestão e convalescência; pode dar coceira e erupções na pele.

MANTEIGA

Favorece a formação de muco; em excesso pode reativar doenças latentes.

MEL

Não é bom para quem tem reumatismo, nem quando há diarréia ou muito catarro saindo.

NABO

Em excesso provoca inchaços.

OSTRA

Piora a lepra e as doenças de pele.

PEPINO

Não é bom quando há catarro, dores abdominais e diarréia.

POLVO

Evitar quando há urticária, ou tendência a ela.

QUEIJO

Ruim para quem tem digestão fraca.

SAL

Considerado um sabor tóxico, deve ser usado com moderação; em excesso (e mais que uma pitada beira o excesso) reduz a energia circulante, enfraquece a essência, os ossos, os músculos, a carne, a presença de espírito, o bom humor.

TOFU

Piora a espermatorréia.

TOMATE

Deve ser comido moderadamente — cru, no verão, para neutralizar o calor, e cozido, no outono, para neutralizar a secura. É contra-indicado no inverno e na primavera.

TRIGO-SARRACENO

Pesado para quem tem má digestão e vertigens.

UVA

O excesso pode turvar a visão.

TUDO É QUESTÃO DE VER
QUE A VIDA É MAIOR QUE O FATO
A FORÇA É MAIOR QUE O ATO
E A SEMENTE REPOUSA NO FRUTO
COMO O SENTIDO NO TATO
TUDO CONTÉM O SER
ASSIM COMO O SER CONTÉM TUDO
CONTINENTE E CONTEÚDO
FUNDIDOS NUM SÓ MISTÉRIO
QUE DE REPENTE É SÉRIO
DE REPENTE É CARICATO

O QUADRADO MÁGICO

Atrás de todas as coisas complicadas há sempre algo muito simples. Para os chineses, a simplicidade máxima está na alternância das duas qualidades básicas e inseparáveis da energia — chamadas genericamente de yin e yang e particularmente de sombra e luz, repouso e atividade, expansão e contração, feminino e masculino, etc. Uma não existe sem a outra, uma sempre precede a outra, uma sempre condiciona a outra, assim como tudo o que tem uma frente tem um dorso e a frente é sempre proporcional ao dorso. Trocando em miúdos, não há noite sem dia, verão sem inverno, fora sem dentro, etc.

Além disso, os processos da energia são cíclicos: nada se repete, mas tudo funciona sempre do mesmo jeito, e perceber isso observando o passar do tempo é muito fácil. O nascer do sol é diferente a cada dia, mas a cada dia acontece, sobe, atinge o meio do céu, desce e invariavelmente desaparece. A lua tem fases que duram sete dias e se sucedem na mesma ordem — crescente, cheia, minguante, nova. Os brotinhos de uma primavera são diferentes dos brotinhos da outra, mas a maneira como surgem e o próprio fato de todo ano haver uma primavera são iguais; e depois de uma primavera vêm o verão, o outono, o inverno e novamente a primavera. Assim tudo vai se modificando ao longo dos ciclos do dia, do mês e do ano.

Compreender o ciclo e a alternância é o primeiro passo para chegar ao simples e ao fácil; é esticar as antenas, abrir bem os ouvidos e estar com os pés prontos para dançar conforme a música no bailes da vida.

O Quadrado Mágico mostra como cada um de nós é ligado aos ciclos e às alternâncias de energia. Ele é feito de nove números.

4 9 2

3 5 7

8 1 6

1 É ÁGUA, NORTE, FRIO, VEGA, MERCÚRIO

2 É TERRA, SUDOESTE, PONTO DE TRANSIÇÃO YIN

3 E 4 SÃO MADEIRA, LESTE, PRIMAVERA, JÚPITER

5 É TERRA, CENTRO, NEUTRALIDADE, SATURNO

6 E 7 SÃO METAL, OESTE, OUTONO, VÊNUS

8 É TERRA, NORDESTE, PONTO DE TRANSIÇÃO YANG

9 É FOGO, SUL, CALOR, POLARIS, MARTE

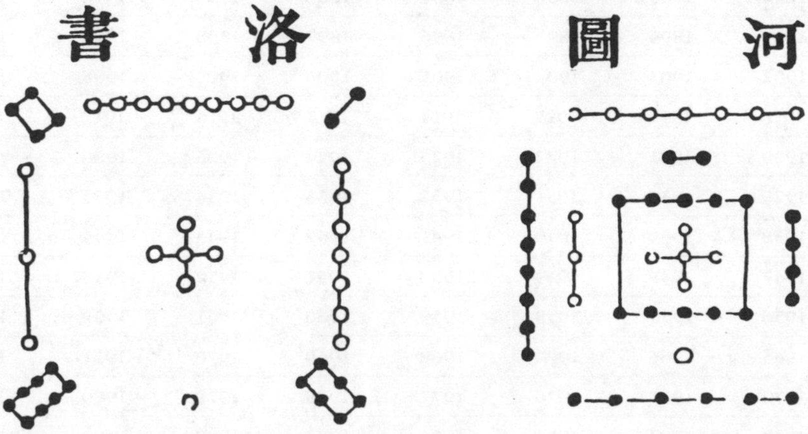

Mágico por quê? Porque qualquer linha que você somar, em qualquer direção, dá 15? Sim, herói, mas não é só isso. Este quadrado apareceu magicamente às margens do rio Lo, afluente do Rio Amarelo, no centro da China, cinco mil anos atrás; inscrito no osso peitoral de uma tartaruga, que é quadrado; e foi interpretado como revelação da geometria secreta do universo. Ali estavam representadas uma estrutura e uma forma que os chineses acataram como realidade e adotaram como um padrão para orientar a arquitetura, a arte, a filosofia, as guerras, o governo e, claro, os oráculos.

Um desses oráculos é o I Ching, em que oito conjuntos de três linhas cada um — os trigramas — são a base para a formação de sessenta e quatro hexagramas que têm resposta para todas as perguntas. Essas linhas são abertas, yin, ou fechadas, yang, e isso basta para criar uma linguagem simbólica, própria do inconsciente, em vez de nos dar palavras, próprias do consciente. Cada um dos oito trigramas básicos é ligado a um número do Quadrado Mágico; o 5, que está no centro, não tem trigrama.

Outro oráculo é o próprio Quadrado Mágico.

Para encontrar o seu trigrama e consultar o Quadrado Mágico, você só precisa da data de nascimento. Digamos que foi em 1947. Aí você pega a dezena (47), soma um algarismo com o outro (4+7=11), soma de novo (1+1=2) e subtrai de 10 (10-2=8). Pronto. 8 é o número do seu ano natal, um ano Terra.

Importante: o ano chinês só começa dia 4 de fevereiro, portanto se você é de janeiro de 47 conte como 46. Mas considere que alguém nascido perto da virada do ano pode ter características de ambos os anos.

Outra coisa, agora sobre os séculos: dentro deste, que começa em 1901, fazemos a última operação subtraindo de 10, não é? Mas se for para achar uma data de 1800 vamos subtrair de 11. E a partir do ano 2000, que está mesmo logo ali, vamos subtrair de 18. Se achou complicado, vá de tabelinha que seguro morreu de velho.

TABELA DOS ANOS

9	8	7	6	5	4	3	2	1
FOGO	TERRA	METAL	METAL	TERRA	MADEIRA	MADEIRA	TERRA	ÁGUA
1883	1884	1885	1886	1887	1888	1889	1890	1891
1892	1893	1894	1895	1896	1897	1898	1899	1900
1901	1902	1903	1904	1905	1906	1907	1908	1909
1910	1911	1912	1913	1914	1915	1916	1917	1918
1919	1920	1921	1922	1923	1924	1925	1926	1927
1928	1929	1930	1931	1932	1933	1934	1935	1936
1937	1938	1939	1940	1941	1942	1943	1944	1945
1946	1947	1948	1949	1950	1951	1952	1953	1954
1955	1956	1957	1958	1959	1960	1961	1962	1963
1964	1965	1966	1967	1968	1969	1970	1971	1972
1973	1974	1975	1976	1977	1978	1979	1980	1981
1982	1983	1984	1985	1986	1987	1988	1989	1990
1991	1992	1993	1994	1995	1996	1997	1998	1999
2000	2001	2002	2003	2004	2005	2006	2007	2008
2009	2010	2011	2012	2013	2014	2015	2016	2017
2018	2019	2020	2021	2022	2023	2024	2025	2026

Mas é só o ano que interessa? Não, também existem os meses. Lá vai outra tabelinha. Procure à esquerda o dia e o mês do seu nascimento; siga a linha e veja em que coluna você cai — de acordo com o número do seu ano natal, a sua coluna será a primeira, a segunda ou a terceira. Digamos que a sua data é 18 de dezembro, e já vimos que o seu primeiro número é 8; portanto você vai encontrar 1 na segunda coluna, e este será seu segundo número.

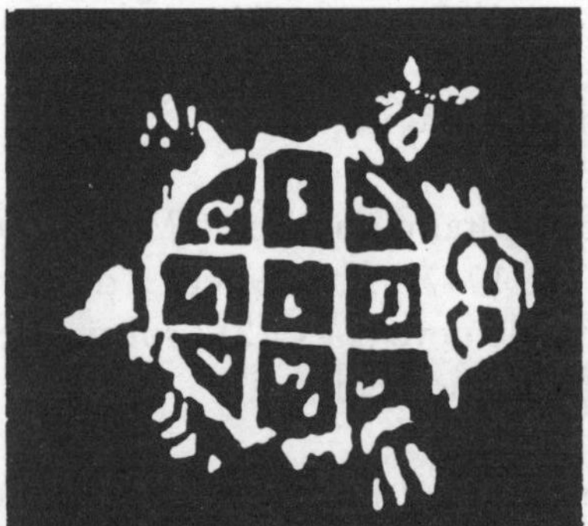

TABELA DOS MESES

DIA E MÊS	ANO 1/4/7	ANO 2/5/8	ANO 3/6/9
4 DE FEVEREIRO A 5 DE MARÇO	8	2	5
6 DE MARÇO A 4 DE ABRIL	7	1	4
5 DE ABRIL A 5 DE MAIO	6	9	3
6 DE MAIO A 5 DE JUNHO	5	8	2
6 DE JUNHO A 7 DE JULHO	4	7	1
8 DE JULHO A 7 DE AGOSTO	3	6	9
8 DE AGOSTO A 7 DE SETEMBRO	2	5	8
8 DE SETEMBRO A 8 DE OUTUBRO	1	4	7
9 DE OUTUBRO A 7 DE NOVEMBRO	9	3	6
8 DE NOVEMBRO A 7 DE DEZEMBRO	8	2	5
8 DE DEZEMBRO A 5 DE JANEIRO	7	1	4
6 DE JANEIRO A 3 DE FEVEREIRO	6	9	3

Que significam estes seus dois números, herói? O que corresponde ao ano mostra uma forma de ser para o mundo, o que corresponde ao mês revela um forma mais íntima de ser. Enquanto vivemos com nossos pais desenvolvemos mais a personalidade íntima; quando temos que enfrentar o mundo é que a outra mostra a que veio. E às vezes passamos a vida inteira achando que somos incoerentes, que temos ambigüidades, que sentimos uma coisa e fazemos outra; vai ver, a explicação tá lá na data de nascimento.

Mas não temos só duas faces. Ao longo de ciclos de nove meses e de nove anos vamos passar por todas as casas e agir como todos os números. É assim que crescemos e nos transformamos, experimentando todos os contrastes. Nosso caminho se abre em direção à universalidade, de forma a podermos viver tudo, e ser todos em um, sem perder nossas qualidades originais.

Ah: os números dos anos natais do seu pai e da senhora sua mãe também revelam muita coisa sobre você, herói. Dele costumam vir as características de sistema nervoso e de pensamento, dela as características de saúde física, preferências alimentares, sistemas digestivo e reprodutor.

Além disso, a dinâmica das cinco modalidades de energia também funciona nas famílias. Imaginemos logo o pior: um pai de Água tende a inibir um filho de Fogo, que por sua vez pode ameaçar demais o irmão de Metal, que não deixará a irmãzinha de Madeira se desenvolver à vontade, e ela esgotará a paciência da mãe de Terra, que absorverá inteiramente o pai de Água. Credo.

AS NOVE PERSONALIDADES

A PERSONALIDADE ÁGUA 1

O que se pode imaginar de quem nasce sob a influência de Água? Que tenha um modo de ser fluido, deslizante, envolvente, que não carregue limites, seja flexível, adaptável, transparente; mas também que tenha um quê de mistério, como a semente que guarda em si o vir-a-ser até o momento adequado. Isto descreve uma personalidade bem mercuriana, que internaliza completamente suas vontades, emoções e reações e quase nunca mostra aos outros o que está pensando ou sentindo, por discrição e também para evitar críticas e interpretações incorretas.

Essa combinação de transparência e segredo pode fazer o herói de Água parecer muito zen a olhos astutos ou muito astuto a olhos zen. Porque dentro dele vão fermentando imperceptivelmente idéias e trajetos, e de repente brota algo muito bem elaborado que ninguém esperava. Traição? Esperteza? Jamais. Nada foi omitido de propósito. Ele é assim mesmo, muito aberto e muito fechado até para si próprio, e grande parte de seus processos criativos se dá no inconsciente.

Acrescente-se que não suporta ser dominado. Também não gosta de dominar, porque isso o obrigaria a alterar seu fluxo. E detesta que os outros interfiram no que está fazendo, sentindo ou pensando. Conclusão: tende a viver e trabalhar sozinho, no seu próprio ritmo, reservando-se a iniciativa de procurar as pessoas quando tem vontade.

Suas dificuldades de ordem prática podem ser enormes, exatamente pela falta de limites, daí a necessidade de estar só para se concentrar e talvez encontrar uma forma, uma disciplina, um objetivo claro. Sem construir apoios desse tipo, o herói de Água pode acabar desperdiçando sua energia em frustrações e desatinos.

Você tem um filho de Água? Então não perca tempo sonhando para ele medalhas nas Olimpíadas, carreira no Banco do Brasil, bolsas de doutorado e coisas assim, porque este pode ser ativo e esforçado mas detesta situações onde existam regras, princípios, dogmas, parâmetros, competições.

Você namora alguém de Água? Ele tem fases como a lua: numa está a fim de intensa vida social, noutra só quer sossego, tempo para si mesmo, espaço para se mexer e privacidade.

Dentro de um grupo a pessoa de Água é excelente mediadora de conflitos, tendo muita receptividade e cabeça fria para ouvir todos os argumentos e colocar as coisas no devido lugar.

Sua sexualidade é muito receptiva e ligada a significados profundos, de modo que Água 1 pode ser do tipo que pensa muito antes de se envolver sexualmente. Isso porque uma boa parceria vai satisfazer também seu lado espiritual, enquanto relações sem maior densidade o deixarão vazio e decepcionado. A mulher de Água em geral é de uma feminilidade completamente sedutora; o homem de Água é muito sensível e se retrai com facilidade, embora saiba disfarçar isso muito bem.

Pela lei das mutações, quando está em dificuldades Água pode se transformar temporariamente em Fogo, escondendo sua verdadeira natureza para se proteger. Aí aparecem nele características mais ativas, calorosas, sentimentais, extrovertidas. Tudo bem, desde que isso não se prolongue indefinidamente, nem aconteça com muita freqüência, porque Fogo ferve e faz Água evaporar — ou seja, a verdadeira natureza do herói vai para o brejo e ele passa a viver angustiado.

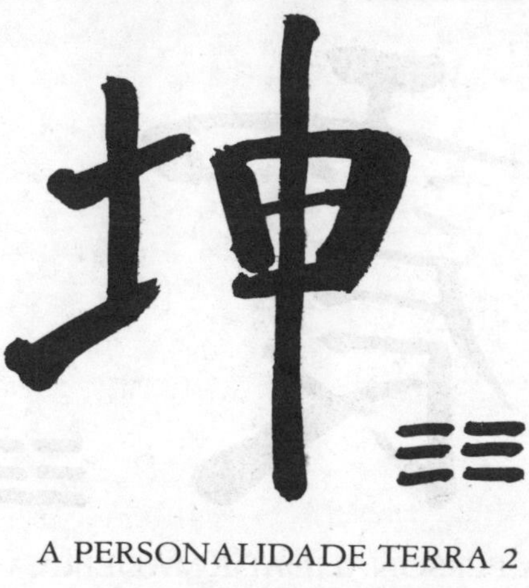

A PERSONALIDADE TERRA 2

Terra tem três números — 8, 5 e 2. Este é o mais feminino e flexível, o que nutre, o que zela: planeta Terra, o Receptivo, a mãe. E muitos homens são 2 e são mães, tendendo acima de tudo a cuidar e compreender. 2 tem o yin que vem de Água; sendo Terra trata de estabilizar essa energia, de lhe dar um centro, um repouso, um chão; mas ainda assim a qualidade yin é forte, por isso Terra 2 precisa do yang daqueles a quem se dedica. Isso não quer dizer que goste especialmente dos outros — na verdade, herói, o 2 pode achar todo mundo muito chato ou insensível. Por isso é comum encontrar um 2 mergulhando em práticas espirituais, filosóficas e artesanais como forma de transcender o dia a dia e se integrar ao cosmos.

É a mais social das três personalidades de Terra, a mais criativa e a que tem mais chances de se tornar popular. Dois aspectos, porém, precisam ser trabalhados: de um lado sua extrema paciência, que pode se transformar em total passividade diante de questões práticas e resultar em frustração para todos os que estão em volta; de outro, a obsessão pelo detalhe atrapalhando a visão do todo. Se você tem um 2 por perto é bom se preparar para contrabalançar esses traços. Mesmo porque seu caráter modesto e sóbrio deixa entrever que ele não é assim porque quer, mas porque não tem outro jeito.

Sexualmente o 2 pode ser pouco expressivo; mas sente prazer nas relações, sobretudo se for com alguém que tenha bastante yang. É que no fundo não se liga muito em sexo, podendo até viver sem ele desde que tenha a quem se dedicar. Procura mais satisfação emocional do que sexual, daí sua facilidade em levar uma vida de características mais espirituais.

Sob pressão, Terra 2 costuma se transformar em Metal 6 — o pai, a autoridade; deixa de ser Terra, o Receptivo, e passa a personificar Céu, o Criativo. Só que não nasceu para isso, então encontra dificuldade em manter a coerência e acaba tiranizando, arranja mais problemas do que tinha antes e sufoca inteiramente sua personalidade.

"O Criativo é o que há de mais forte no mundo. A expressão de sua natureza é invariavelmente o fácil, para assim poder dominar o que é perigoso. O Receptivo é o que há de mais abnegado no mundo. A expressão de sua natureza é invariavelmente o simples, para poder assim dominar os obstáculos." (I Ching — O Livro das Mutações, Richard Wilhelm, Editora Pensamento.)

A PERSONALIDADE MADEIRA 3

Aquele broto de samambaia que não estava aqui ontem e hoje surgiu, enorme, se abrindo mais que depressa em folha e espalhando seu verde ao redor: assim é Madeira 3. Espontâneo, musical, bem-humorado, inteligente, otimista, rápido, inspirado, criativo, bem falante, generoso, capaz. Um artista, freqüentemente brilhante, cheio de versatilidade e talento. Do tipo que carrega a juventude até o fim de seus dias, desenvolvendo-se em todas as direções com enorme independência e agilidade física, abrindo caminho para as gerações seguintes, desempenhando ativamente suas funções no mundo.

Pode chamar de aventureiro: está sempre em movimento, seguindo impulsos e ampliando horizontes. Seu planeta é Júpiter, que lhe dá uma autoconfiança ilimitada, por isso o herói tipo 3 se sente à vontade para fazer muitas coisas ao mesmo tempo, interessado num monte de assuntos, penetrando no místico e no esotérico, dando vazão ao ímpeto de crescer em todas as direções. E não só em causa própria: seu exemplo faz os outros crescerem também, nem que seja através do que ele tem para contar.

Devido a isso tudo, seu comportamento é muito imprevisível. Quase nunca pensa em termos práticos. Quando as coisas correm mal tende a ficar irritado, raivoso. É completamente instável nas paixões mas está sempre entrando em alguma, tanto por outra pessoa quanto por si mesmo ou por idéias e ideais. Adora viver na natureza; contato com o verde ajuda Madeira a saber quem é. Também tem necessidade de muito espaço para se expandir fisicamente sem incomodar ninguém. É exigente, embora não suporte as exigências alheias e tenha certa dificuldade em modificar comportamentos; defende graciosamente, mas com unhas e dentes, o direito de ser dono de seu nariz. Sua ligação prioritária não é com pessoas nem com o mundo, mas com a natureza e o cosmos.

Madeira 3 desfruta de uma energia sexual intensa, ativa, própria da primavera. Para as mulheres pode ser terrível ter essa energia reprimida por princípios morais ou sociais muito rígidos.

Quando fica muito descontente com as coisas em volta, Madeira 3 utiliza o princípio da mutação para ganhar características de Madeira 4, que é mais popular, mais receptiva, mais influente, mais doce. Descuidando das conseqüências, assume compromissos que o deixarão na pior situação possível para um 3: sem liberdade.

A PERSONALIDADE MADEIRA 4

Aqui está a árvore mais velha, copada, de tronco grosso, cheia de bem-te-vis e orquídeas em seus galhos. Embora possua tanta sensibilidade quanto Madeira 3 para as artes e os sentidos, não tem nada de aventureira: é pessoa de bom senso, dá ótimos conselhos e faz avaliações maduras graças a uma invejável força mental. É menos intuitiva e mais intelectual. Pode parecer dominadora, sobretudo porque tem muita força nos olhos — que afinal são os órgãos sensíveis de Madeira — e algumas pessoas têm medo desse olhar; mas não há nada a temer. Simples e sincera, julga os outros por si e acaba levando na cabeça quando lida com heróis menos honestos.

Madeira 4 é mais prática e persistente do que Madeira 3. Percebe logo o ambiente em que está e suas possibilidades de atuação. Também é mais carismática, mais empática e geralmente muito mais tagarela, sujeita a cansar os ouvidos alheios se não tomar cuidado. Assim como 3, tem múltiplos talentos para artes em geral e detesta rotinas e detalhes, mas sabe cuidar melhor da vida profissional. Trabalha feito um pé-de-boi, dedicando-se a uma coisa de cada vez, por isso tem muitas chances de dar certo naquilo que escolheu e deixar uma bela marca de sua passagem pelo mundo.

Mas atenção, herói: sua fragilidade está na raiz. Pode tombar mais facilmente que Madeira 3, por isso é necessário que tente de fato se aprofundar naquilo que lhe garante força e vitalidade. Contato freqüente com natureza e terra é vital, e a presença de pedras e cristais por perto também vai ter efeitos benéficos.

No amor é pessoa completamente romântica e ingênua, idealizando uma parceria perfeita onde o sexo signifique uma esplendorosa comunhão entre deuses. Em busca disso, Madeira 4 tanto pode ter aventuras ligeiras quanto paixões desenfreadas das quais não consegue sair, nem mesmo depois de perceber que a pessoa não satisfaz.

Quando quer se proteger ou ser muito incisiva, Madeira 4 se transforma em Madeira 3. Perde a suavidade, a doçura e o carisma, fica excessiva; aí se arrepende de ter forçado as coisas e corrige novamente o rumo.

A PERSONALIDADE TERRA 5

Entre 1 e 9, exatamente no meio, fica o 5, eixo em torno do qual os outros gravitam. Seu planeta é Saturno, que segundo a astronomia chinesa concentra e distribui para os outros planetas a energia que recebe das nove estrelas que formam o portão de entrada da corrente cósmica — Vega (da constelação Lira), Polaris (a estrela do norte) e as sete estrelas da Ursa Maior.

A personalidade de Terra 5, por isso, é muito especial — tem características de todas as outras, mas enquanto elas são mais yang ou mais yin, Terra 5 pode ser ambas. Um coringa, que substitui qualquer outra carta? Às vezes. E às vezes, uma confusão que ninguém entende, uma pessoa ao mesmo tempo autônoma e dependente: autônoma na sua completude e capacidade de transformação constante, dependente dos pontos de referência cotidianos que só os outros podem dar.

Sua base material é sólida, seus projetos são bem-sucedidos e ninguém é melhor do que Terra 5 para se envolver num trabalho importante que precise de mão firme e olhar atento. Tem idéias práticas e dá boas sugestões para melhorar qualquer coisa em qualquer área; consegue clarear situações que todos os outros acham muito confusas; tem um coração enorme e está sempre com disposição de ajudar.

Talvez seja a mais produtiva e confiável de todas as personalidades. Por estar no centro, para ela não há mistério em equilibrar os extremos. O problema é que Terra 5, em sua timidez, tem a maior dificuldade em construir amizades sinceras. Acha que intimidade é um poço escuro e sem fundo. Então, por mais que seja amorosa e até carente de afeto, quase sempre passa uma imagem fria e calculista — ainda mais porque é capaz de fazer tremendos desaforos e irritar outras pessoas sem sequer se dar conta. Também não é muito chegada à autocrítica; de vez em quando pode mostrar um ego enorme que precisa de todo espaço, atenção e consideração disponíveis no universo.

Tende a ser a mais materialista entre todas, a mais controladora, a mais perseverante, a que dá de si quase a ponto de se esgotar. Seu grande conflito é entre a imagem de força e auto-suficiência que transmite e a fragilidade que sente no plano emocional, por isso às vezes precisa ficar doente para se sentir cuidada.

A vida sexual de Terra 5 costuma tocar os extremos, indo do contato puramente físico ao envolvimento profundo. Tem propensão a transar sexo de forma egoísta, embora possa também se revelar boa amante se estiver muito atraída. Gosta sobretudo de se divertir. Seduz os outros sem nenhum esforço ou intenção, e seu pior desempenho sexual pode acontecer justamente quando encontra alguém que parece ideal e... casa.

Em períodos difíceis, o 5 pode assumir características de Terra 2 e Terra 8 ou mutar para seus opostos, Metal 7 e 6. Se você encontrar um Terra 5 com características de Metal, herói, pode saber que ali está uma pessoa com sérias dificuldades de levar sua vida adiante.

Como se trata de um número completamente neutro, você só fica sabendo se ele é mais ativo ou mais receptivo pelo número correspondente ao mês do nascimento. Se for 1, 3, 6 ou 8 revela características ativas; se for 2, 4, 7 ou 9 revela características receptivas.

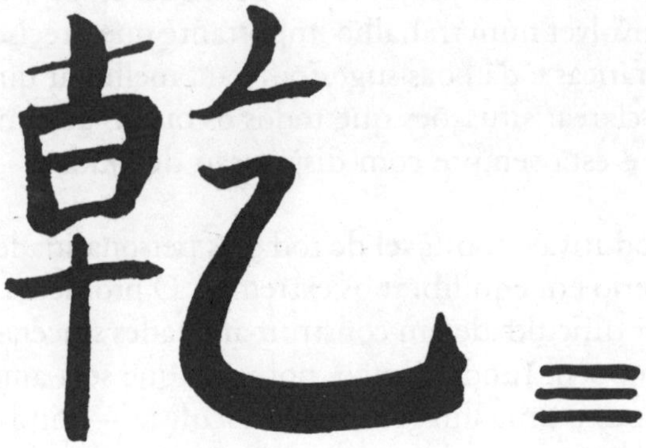

A PERSONALIDADE METAL 6

6 é o Céu, o Criativo. Metal, cristal, rocha, petróleo: tudo o que é forte, denso, profundo. Metal 6 é o pai — aquele que inspira respeito e proporciona ordem e segurança aos que nele confiam.

Sua personalidade tem virtudes que não acabam mais: é forte, intuitiva, reservada, conservadora, honesta, serena, tira de letra as questões do dia a dia, tem senso de justiça e uma enorme vitalidade. É paciente e previdente, do tipo que guarda tudo o que possa vir a ser útil um dia. Sempre sabe o que fazer em relação a qualquer coisa e não tem a menor preguiça de discutir o que quer que seja. Metal 6: o mundo pode ter segredos, mas não para ele. Porque ele também não tem. Seu padrão de conduta e pensamento é muito bem definido. Transparente, até. Tanto que é incapaz de modificar alguma coisa em sua vida sem que todo mundo note a diferença.

Seu trabalho tanto pode ser físico quanto mental. Responsável e perfeccionista, geralmente se supera no que faz. E faz sozinho: não consegue trabalhar com ninguém, e vice-versa. Não admite erros e dificilmente erra. Talvez por isso tenha a maior resistência a ouvir conselhos e críticas e a modificar comportamentos que porventura não sejam lá grande coisa. Confia muito em sua intuição e sempre acha que tudo vai dar certo — como, aliás, acaba dando. Tem tudo para se tornar um pilar da comunidade, especialmente no sentido moral e espiritual, devido a seu caráter aparentemente altruísta e voltado para causas nobres. Mas tem um porém, herói, muito aqui entre nós: Metal 6 nem sempre é tão generoso quanto gosta de parecer, sabe? Freqüentemente não dá o que promete, e toma de volta, ou cobra, aquilo que já deu. Talvez já fique satisfeito com a idéia de dar, não é?

Ele tende a ser muito conservador em matéria de sexo, querendo tudo perfeito, em seu lugar, numa determinada ordem, e se possível com uma determinada finalidade. Faz muita questão de detalhes. Isso às vezes tolhe sua espontaneidade e exclui o lado lúdico da relação, embora não o impeça de ser um amante devotado, fiel e atencioso quando acha que está tudo como deve. É possível ainda que goste de beber um pouco para se soltar, ou que desenvolva uma vida paralela em ambientes menos respeitáveis que o lar.

Quando Metal 6 se sente cansado da autoridade, solitário e pouco seguro do amor dos outros, pode se transformar em Terra 2, a mãe. Só que vai estar se forçando uma falsa postura de receptividade e tolerância; isso pode conduzir a um sentimentalismo bobo que enfraquece sua própria natureza, e além do mais não convence ninguém. É típico do pai que dá uma bronca de pôr a casa abaixo e depois chora no ombro dos filhos pedindo perdão.

A PERSONALIDADE METAL 7

Metal 7, herói, tem muitas semelhanças com Metal 6: autoridade, intuição, senso de justiça e de responsabilidade, espírito de liderança, etc, mas exerce isso com mais abertura, tolerância, sociabilidade, sinceridade, humor, carisma. Onde o 6 é masculino, 7 é feminino; onde 6 age com severidade, 7 entra com diplomacia. Pisa macio, sabe escolher o tom, não parece que está mandando e consegue tudo o que quer. É menos intelectual, mais prático. Fala com fluência e clareza, seus argumentos são convincentes, tem um vasto leque de assuntos e experiências interessantes para contar. Sabe dar conselhos sem se meter demais na vida alheia, e geralmente sua força interior permite que mantenha os pés firmes no chão enquanto abre a cabeça para as vibrações mais sutis.

Mostra um apetite extraordinário por qualquer coisa — comida, bebida, sensações físicas, emoções, conhecimentos, acontecimentos; está sempre procurando curtições, novidades, energias novas; seu instinto é apaixonado e Metal 7 geralmente se deixa levar por ele. Afinal, seu planeta é Vênus, o que significa prazer, sensualidade, beleza, sentimentos, doçura, muita energia para ir atrás do que lhe agrada. E depois que se satisfaz, herói, ah!, sente uma preguiça mortal até de ir ao banheiro. Essa mistura de paixão e indolência, contrastando com o fato de que é uma pessoa disciplinada e constante para trabalhar no que gosta, pode imprimir um estilo bem anárquico à vida de Metal 7.

Detesta rotinas, agendas, compromissos chatos. Está sempre de olho em sua liberdade, que tanto pode trazer semanas e meses de efervescente alegria quanto longos períodos de pura contemplação. Aliás, Metal 7 é o que se pode chamar de pessoa antenada. Usa de fato a intuição que possui, de um modo reflexivo e sereno, para captar influências numa esfera mais sutil.

Vive de bem com o mundo. Não gosta de perder tempo com fofoquinhas, brigas e discussões. Quando sai do sério pode ficar exibicionista; pode também defender ardorosamente critérios ou idéias que fogem inteiramente ao bom senso; pode inda prometer coisas impossíveis só para ganhar o amor dos outros.

Se você anda querendo alguma coisa com um Metal 7, é bom saber que ele gosta de controlar disfarçadamente a situação e que é mais fácil você se adaptar a ele do que ele a você. O esforço pode valer a pena. Esses tipos costumam ser charmosos, sensuais, estimulantes mesmo, e com eles o sexo é mais que experiência física: é uma forma de redimensionar a esfera sensorial da vida. Principalmente porque Metal 7 tem grande prazer em dar prazer ao outro (e geralmente consegue), sobretudo porque adora se sentir amado (e geralmente é).

Em momentos adversos, em que o carisma fica bloqueado, Metal 7 pode se transformar em Terra 8 como defesa. Isso traz uma atividade mental exagerada, cheia de racionalizações e impertinências que podem ser frutíferas em Terra 8 mas ficam antipáticas em Metal 7. E quanto tempo Metal 7 agüenta sem o carinho e a simpatia dos outros?

MARAVILHAS DA NATUREZA

Metal é a energia predominante entre os nossos políticos. Veja só o perfil dos candidatos à eleição presidencial brasileira de 1989:

	NASCEU EM	ANO	MÊS
LEONEL BRIZOLA	22 DE JANEIRO DE 1922	7	6
MÁRIO COVAS	21 DE ABRIL DE 1930	7	6
RONALDO CAIADO	25 DE SETEMBRO DE 1949	6	7
FERNANDO COLLOR	12 DE AGOSTO DE 1949	6	8
ROBERTO FREIRE	20 DE ABRIL DE 1942	4	6
ULYSSES GUIMARÃES	6 DE OUTUBRO DE 1916	3	7/6
GUILHERME AFIF	18 DE SETEMBRO DE 1943	3	7
PAULO MALUF	3 DE SETEMBRO DE 1934	3	8/7
AURELIANO CHAVES	3 DE JANEIRO DE 1929	9	4/3
LULA	6 DE OUTUBRO DE 1945	1	1/9

Os únicos candidatos que não têm nada em Metal por nascimento foram procurá-lo pela vida afora: Lula como metalúrgico e Aureliano como ministro de Minas e Energia.

A PERSONALIDADE TERRA 8

Terra é centro e estabilidade. Terra 2 é um signo yin, feminino, materno, nutritivo; Terra 5 é feminino ou masculino, umbigo geral, eixo; Terra 8 é um signo yang, masculino, em que sobressai um grande poder mental voltado para a articulação de idéias, opiniões e pensamentos. Gosta de ir ao fundo dos fatos, conseguir dados concretos, examinar detalhes de que se lembrará fielmente depois. Sua cabeça, muito ágil, é tipo arquivo. Isso pode dar a Terra 8 uma aparência de racionalidade e rigidez que esconde um interior suave, receptivo, voltado para a contemplação.

Plantado no chão como uma montanha, cujo atributo principal é a quietude, Terra 8 tem necessidade daquilo que se move, portanto de atividades variadas e pessoas estimulantes ao seu redor. Gosta de sentir que pertence a alguma coisa ou a alguém. Como bom caçula, é manhoso e se dá ao luxo de ser impulsivo, irreverente, teimoso, egocêntrico, perdulário. Não tem um padrão linear de conduta, apesar de saber muito bem seu objetivo — conquistar um lugar ao sol para mostrar aos outros quem é e o que faz. Freqüentemente age de modo inesperado, por ímpeto, dando uma paradinha em seguida para ver o que aconteceu. Esse processo de reavaliação constante permite que mude de idéia à vontade e é uma chave de seu caráter. Muitos vão achá-lo volúvel, inconstante, inconsistente; quem quiser conviver com ele tem que estar disposto a compreender sua personalidade, honesta mas movida a paixão.

Seu principal sintoma é racionalizar demais e fazer tempestade em copo d'água. Isto pode aparecer enfatizado nas questões de saúde: hipocondria, dietas rígidas, terapias revolucionárias o fascinam. Tais características podem torná-lo um solitário, que tem as necessidades normais de dar e receber afeto mas se recolhe à concha para não se expor a críticas.

Sexo, para ele, tende a ser cheio de energia e por isso um instrumento de poder pessoal. Mas às vezes tem dificuldade de encontrar o canal certo para se expressar sexualmente, ou não consegue ficar inteiramente à vontade com seus parceiros; por isso sua identidade sexual pode permanecer obscura durante muito tempo. Se você anda paquerando algum Terra 8, herói, certifique-se de que a sua própria identidade sexual é bem estabelecida e de que está disposto a ter paciência com as questões emocionais que essa imprevisível pessoa pode levar para a cama.

Sob pressão, principalmente diante de oportunidades de realização social, Terra 8 cede à tentação de usar a máscara de Metal 7 para obter mais carisma, sociabilidade, popularidade, e finge estar em busca do prazer contínuo. Como não tem talento nenhum para isso, acaba entrando em conflito com os outros e desgastando sua energia mental.

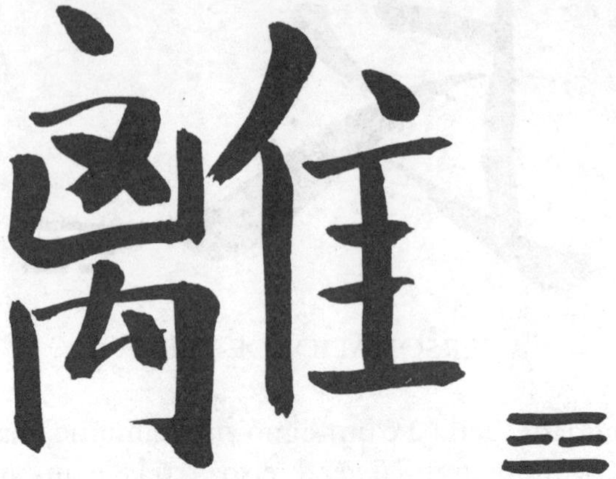

A PERSONALIDADE FOGO 9

Esta pessoa nasceu sob influência de Marte e Fogo, daí seu altíssimo pique energético, vivo e contagiante, digno representante das forças do sol. Chama a atenção de todos, espalha calor e alegria em volta. Sabe atrair e envolver os outros e se deixa atrair e envolver por eles ou por qualquer situação interessante. É cheia de força e impulso, está sempre ativa e tem necessidade de emoções interpessoais para se equilibrar. Adora expressar o que conhece e o que sente, em linguagem simples, clara, direta. De vez em quando se deixa levar pela euforia e aí o discurso fica atrapalhado, mas tudo bem, os outros perdoam. Quem não a conhece pode achar que está diante de uma mentalidade simplista, superficial e padronizada, embora convincente; quem a conhece sabe que ali está alguém com uma percepção agudíssima da realidade que logo se transforma em conteúdo de consciência.

Sua espiritualidade é quase concreta, parte integrante do dia a dia, sem nada de místico ou nebuloso, e inclui uma generosidade que perdoa facilmente e não guarda ressentimentos. Freqüentemente cede à influência de personalidades fortes, tanto positivas quanto negativas, custando a perceber quem é realmente amigo e quem não é; isso talvez se deva a um excesso de extroversão e de atividades que não deixam espaço interno para reflexão e avaliações. Gosta de fazer milhares de coisas ao mesmo tempo, é exigente consigo e se atira com prazer ao trabalho.

Costuma ser uma pessoa extremamente amorosa, chegada a ligações profundas mas que nem sempre duram muito. Ajuda seus parceiros a enxergar com mais clareza devido à maneira descomplicada de abordar as questões. Para a pessoa de Fogo 9, o sexo é a celebração da vida. Aí se juntam todo o prazer sensorial e os melhores sentimentos possíveis. Fisicamente, sabe direitinho o que quer e como deve conseguir; costuma falar com tranqüilidade sobre assuntos de cama, sem se dar conta de que o tema pode ser tabu para os outros, e atrai parceiros sem fazer força, inclusive quem não interessa. Gosta da estabilidade que uma relação profunda pode proporcionar; por isso tende ao casamento, do qual participa com paixão.

Por ser o nível mais alto e ativo da energia, Fogo consegue ver os outros de camarote. Sua presença num grupo se caracteriza pela capacidade de fazer as ligações entre as pessoas, clareando as questões e mantendo um clima de calor humano. Seu sentimento se manifesta com facilidade, mesmo que seja superficial. Sua aptidão para ouvir e falar faz com que os outros se sintam num bom relacionamento; nisso Fogo tem grande afinidade com Água, que faz a mesma coisa a seu modo. 1 e 9, cada um em seu extremo, formam uma dupla imbatível em se tratando de encontrar o caminho do meio.

Quando se sente inferiorizada e opaca, a pessoa 9 tende a se transformar em 1 e mergulhar em profundo recolhimento. Mas é claro que não consegue se adaptar em Água, que é fria, solitária e filosófica; assim, depois de esfriar a cabeça retorna ao calor, ao brilho, aos outros.

E AS TRANSAS?

Há duas especulações possíveis sobre os relacionamentos entre os números do Quadrado Mágico: uma sobre os dois números na mesma pessoa, outra sobre o número do ano de uma pessoa com o número do ano da outra. Antes de ver isso, alguns lembretes:

AS PESSOAS PODEM SER MAIS LEVES OU MAIS PESADAS

Água 1, Metal 6, Metal 7 e Terra 8 são energeticamente descendentes, trazem uma energia de peso e profundidade; Terra 2, Madeira 3, Madeira 4 e Fogo 9 são energeticamente ascendentes, trazem uma energia de expansão e leveza.

PODEM SER MAIS ATIVAS OU MAIS PASSIVAS

Água 1, Madeira 3, Metal 6 e Terra 8 são masculinas, ativas, independentes; Terra 2, Madeira 4, Metal 7 e Fogo 9 são femininas, receptivas, ligadas aos outros.

TENDEM A SE ENCAIXAR NOS ARQUÉTIPOS FAMILIARES

Metal 6 é paternal, Terra 2 é maternal. Madeira 3 é filho mais velho, Madeira 4 é filha mais velha. Água 1 é filho do meio, Fogo 9 é filha do meio. Terra 8 é filho mais novo, Metal 7 é filha mais nova. Terra 5 é o que está no centro e serve de esteio.

UMA PESSOA CONSIGO MESMA

Água nutre Madeira que nutre Fogo que nutre Terra que nutre Metal que nutre Água. Se a pessoa tem dois elementos consecutivos marcando o ano e o mês natais, um alimenta o outro e está tudo bem.

Água apaga Fogo que funde Metal que corta Madeira que esgota Terra que absorve Água. Se a pessoa tem um elemento dominador e outro dominado, precisa fazer um certo esforço para integrar as duas tendências de personalidade e não permitir que uma sufoque a outra, ou que o conflito transborde. O ideal é transformar a contradição interna num exercício de complementaridade.

Se o ano e o mês são do mesmo elemento, a pessoa será dona de uma personalidade muito nítida, sem conflito nem polaridade. Que bom, não? Nem sempre: pode ser monótono. E às vezes leva a pessoa a se apossar dos conflitos alheios.

UMA PESSOA COM A OUTRA

Se forem do mesmo elemento haverá muita facilidade na relação, muita compreensão e afinidade, e provavelmente também uma indesejável mistura: onde começa uma e onde acaba a outra? Se tendem a ver tudo do mesmo jeito, a pensar igual, a ter os mesmos desejos, é provável que fiquem ambas aprisionadas à imagem perfeita da dupla e não consigam mais crescer individualmente. Como parceria produtiva pode dar muito certo; como casamento pode ser sufocante.

Se forem de signos consecutivos (Água-Madeira-Fogo-Terra-Metal-Água) haverá bastante afinidade e semelhança, mas as pessoas estarão em estágios diferentes e isso traz mais estímulos, mais contraste, mais coisas para trocar. Quem vem atrás, digamos Madeira, vê Fogo vivendo algo que Madeira viverá em breve, e Fogo observando Madeira revê processos que viveu ali atrás.

Se forem de elementos opostos (Água-Fogo, Fogo-Metal, Metal-Madeira, Madeira-Terra, Terra-Água) podem sentir uma fortíssima atração mútua e viver uma grande paixão; mas uma tende a dominar a outra, por isso nem sempre a relação será fácil e raramente dará numa história sólida, a não ser que os números dos meses equilibrem as coisas e um bom trabalho de autoconhecimento ajude a encontrar uma dinâmica mais suave.

AS CASAS OPOSTAS

Há ainda uma relação muito especial que pode acontecer entre os ocupantes das casas opostas dentro do Quadrado Mágico (1—9, 2—8, 3—7, 4—6): eles se atraem, se fascinam reciprocamente, mesmo que isso não dê em nada. Não precisa mesmo dar. A curtição do fascínio já é o grande barato.

TUDO BEM NO ANO QUE VEM?

Claro, ora. Não existem anos bons ou maus, existem condições próprias ou impróprias para realizar os desejos. E quem é esperto, herói, sonha o possível. De qualquer forma, chegou a hora de aprender a usar o Quadrado Mágico. Olhe bem para ele:

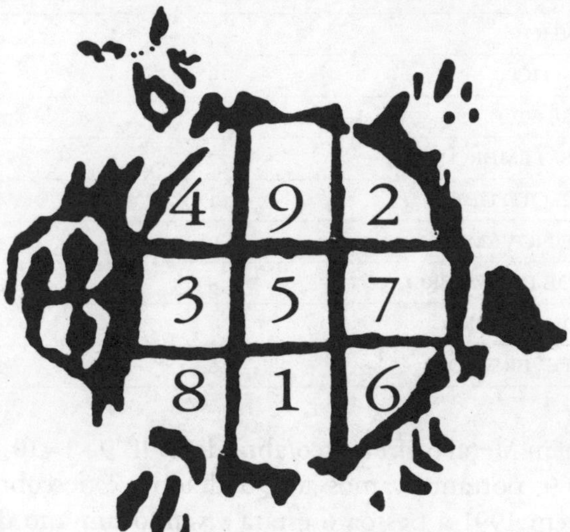

No Quadrado Mágico, os números estão em suas casas naturais. Repare agora nos nove quadrados: como cada ano, ou mês, corresponde a um número, é esse número que fica no centro do quadrado, isto é, na casa 5, naquele ano ou mês. Conseqüentemente os outros números também mudam de lugar — vão morar em outra casa o ano inteiro, recebendo as influências de seu dono original.

9 5 7
8 **1** 3
4 6 2

1 6 8
9 **2** 4
5 7 3

2 7 9
1 **3** 5
6 8 4

3 8 1
2 **4** 6
7 9 5

4 9 2
3 **5** 7
8 1 6

5 1 3
4 **6** 8
9 2 7

6 2 4
5 **7** 9
1 3 8

7 3 5
6 **8** 1
2 4 9

8 4 6
7 **9** 2
3 5 1

Agora, sabe o que isso significa? Que se você é Terra 8, em 2000 (que é um ano 9) estará ocupando a casa 4, portanto não perde nada em saber o que ela lhe traz!

Se quiser saber ainda o que lhe traz o mês de agosto desse ano, por exemplo, é fácil: consulte a tabela dos meses e descubra na coluna do ano 9 que o período de 8 de agosto a 7 de setembro corresponde à casa 8. Aí vá ao Quadrado do 8 e veja onde estará você então (continue fingindo que é Terra 8): na casa 5.

TABELA DOS MESES

DIA E MÊS	ANO 1/4/7	ANO 2/5/8	ANO 3/6/9
4 DE FEVEREIRO A 5 DE MARÇO	8	2	5
6 DE MARÇO A 4 DE ABRIL	7	1	4
5 DE ABRIL A 5 DE MAIO	6	9	3
6 DE MAIO A 5 DE JUNHO	5	8	2
6 DE JUNHO A 7 DE JULHO	4	7	1
8 DE JULHO A 7 DE AGOSTO	3	6	9
8 DE AGOSTO A 7 DE SETEMBRO	2	5	8
8 DE SETEMBRO A 8 DE OUTUBRO	1	4	7
9 DE OUTUBRO A 7 DE NOVEMBRO	9	3	6
8 DE NOVEMBRO A 7 DE DEZEMBRO	8	2	5
8 DE DEZEMBRO A 5 DE JANEIRO	7	1	4
6 DE JANEIRO A 3 DE FEVEREIRO	6	9	3

Outro exemplo: alguém Metal 6 em março/abril de 1991. 9+1=10, 1+0=1, 10-1=9, ou seja: 1991 é um ano 9, portanto vamos ao Quadrado 9 e descobrimos o 6 na casa 2. Isto quer dizer que em 1991 a pessoa 6 estará vivendo um ano de casa 2.

Agora vamos ver março/abril de um ano 9: pela tabela dos meses é um mês 4, portanto vamos ao Quadrado 4. Onde está o 6? Na casa 7. Isto quer dizer que em março/abril o 6 está vivendo um mês de casa 7.

Entendeu? Só pra confirmar: os quadrados tanto servem para se pôr no meio o número do ano quanto o número do mês. Números postos, é só ver no Quadrado Mágico (o que tem o 5 no centro) de quem é a casa ocupada pelo número do ano em que se nasceu. Mas se eu fosse você consultaria a tabelinha da próxima página, mais fácil...

TABELA PARA ACHAR A CASA QUE VOCÊ OCUPA NO ANO OU NO MÊS

ANO OU MÊS	1	2	3	4	5	6	7	8	9	CASAS
1	6	7	8	9	1	2	3	4	5	
2	7	8	9	1	2	3	4	5	6	
3	8	9	1	2	3	4	5	6	7	
4	9	1	2	3	4	5	6	7	8	
5	1	2	3	4	5	6	7	8	9	
6	2	3	4	5	6	7	8	9	1	
7	3	4	5	6	7	8	9	1	2	
8	4	5	6	7	8	9	1	2	3	
9	5	6	7	8	9	1	2	3	4	

Veja na coluna vertical da extrema esquerda o número do ano ou do mês em questão; procure nessa linha horizontal o número do seu ano natal; siga até lá em cima na vertical e descubra em que casa ele está.

Para saber em que casa estão os dias o cálculo é muito complicado. Perdão, herói. Mas dá para adiantar que a coisa acontece em ciclos de nove, dezoito ou vinte e sete dias. Com um diário, e algum empenho, você pode descobrir coisas bem interessantes a respeito. O último que tentou acabou querendo também o ciclo das horas, depois o dos minutos, depois o dos segundos, e finalmente, já no hospício, chegou à conclusão de que o cálculo inicial estava errado.

AS NOVE CASAS

O que é uma casa? Além de abrigo temporário, que empresta suas características ao cotidiano do herói e o leva a desenvolver outras facetas da personalidade, a casa ainda mostra em que ponto do ciclo ele está.

Observar a trajetória pessoal através das nove casas pode revelar muita coisa sobre a forma como se enrola e se desenrola a vida de cada um. Você pode fazer isso anotando no centro de uma folha de papel o ano cronológico que está vivendo — digamos, 91 — e ao lado o seu ano energético, digamos 4. Fica assim: 91/4. Aí vá escrevendo, à esquerda, os anos anteriores: 90/3, 89/2, 88/1, 87/9, etc, e terá como comparar o que viveu com o que está na descrição das casas. Faça agora a progressão dos anos para a direita — 92/5, 93/6, etc, e terá uma idéia de como seus processos de vida se localizarão no tempo. Repita as anotações em outra folha, agora com relação aos meses: partindo, por exemplo, de março/9, você terá à esquerda fevereiro/8, janeiro/7, dezembro/6, etc, e à direita abril/1, maio/2, junho/3, julho/4, etc.

A descrição das casas serve por igual aos meses e aos anos, mas a energia do ano influi muito sobre o ciclo de nove meses.

I Ching, a mutação

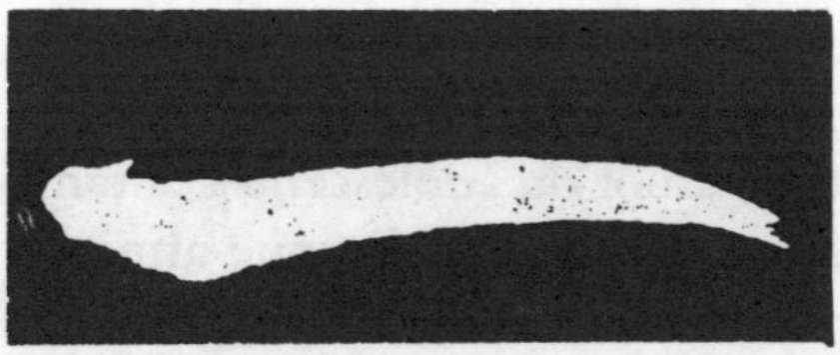

CASA 1: ÁGUA.
VOCÊ É SEMENTE DE VOCÊ

Este é o início de um novo ciclo. A semente que foi plantada na casa 8 está quieta, dentro da terra, esperando o momento de brotar; é um período de recolhimento, latência, inércia, não-ação, e o principal acontece em repouso. A energia de Água é fria, noturna, invernal. O poder se acumula com vistas à primavera; poupa recursos e sobrevive com o mínimo possível.

O tema é fluir e deixar fluir, herói, não planejar, não interferir, não exigir. Cuidar apenas do que exige ação imediata; confiar no desdobramento natural da vida.

O período pode parecer meio difícil, meio arrastado, meio enrolado; questões que normalmente se resolveriam logo ficam um tempão fazendo hora; mas isso é típico e não deve deixar você ansioso. Afinal, o tesouro da semente é seu próprio processo. Há que ter paciência, empenho e flexibilidade para atravessar esta grande água. E nada de projetos novos, nada de ímpetos de realizar isto ou aquilo, porque a direção correta do olhar é para perto, para dentro. Herói recolhido, dando atenção somente ao essencial. É o momento de conhecer os próprios limites e refletir sobre eles, filosofar à vontade, lidar com análise e síntese, gastar tempo com os sonhos de ser ou não ser. Concentre-se na idéia de que você está gestando você, com a vantagem de já se conhecer um pouco e saber onde quer melhorar. O resultado vai aparecer ao longo do ciclo.

O perigo desta casa está na dispersão, na sensação de abismo, na impressão de que as coisas se perdem ou não dão certo, de que você está sem rumo e não sabe o que quer. Se isso acontecer, trabalhos de harmonização do corpo e da mente podem ajudar, entre eles yoga, meditação, tai-chi-chuan, kum nye: eles ensinam a não-ação, mas de forma organizada — e quem diria que disciplina ajuda até a não fazer nada?

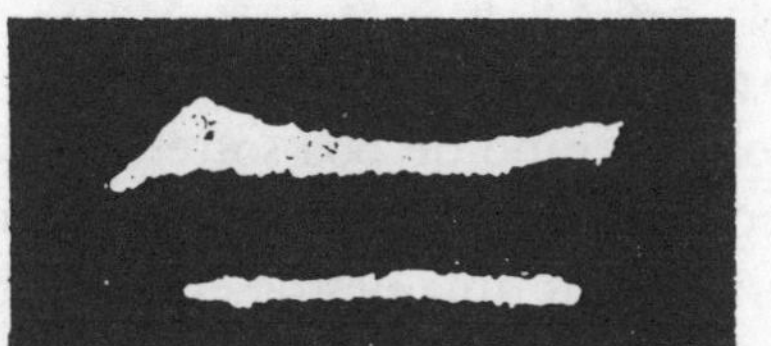

CASA 2: TERRA.
VOCÊ SE PLANTA NOS ALICERCES

Esta é uma casa feminina por excelência, receptiva, nutritiva, da mãe que arruma o ninho e zela pelo filho, da dona de casa em seu lar. Só que o lar é você, o filho é você, a mãe é você, herói. Na casa 1 começou um novo ciclo e você percebeu o essencial. Agora é o momento de criar condições para se desenvolver com saúde e conforto.

Isso inclui a tarefa de se livrar de um monte de coisinhas com as quais você foi se acostumando e nem percebe mais que tem — roupas velhas, móveis inúteis, inutensílios, fotografias mofadas, cartas de amor da adolescência, e também probleminhas de saúde, manias, hábitos e relações decadentes. Porque afinal, se o que vai se desenvolver é um ciclo novo, pra que velharias? E haja desapego!

A casa 2 é como uma faxina em que se faz uma coisa de cada vez, metodicamente, num trabalho que nem sempre aparece ou é reconhecido pelos outros, mas que permite a você rearrumar toda a sua vida pessoal e profissional. Claro que antes há que desarrumar, e isso é muito bom, porque aí aparece tudo o que ficou por concluir; se não for concluído agora, vai se arrastar pelas nove casas seguintes. Portanto continue mantendo o autocontrole, a postura bem centrada e até mesmo mais convencional; nada de ceder, ainda, a ímpetos e paixões. O sucesso da casa 2 depende da sua capacidade de se concentrar nas pequenas coisas. Resolvendo as pequenas, as grandes também se resolverão.

Como se trata de uma casa ampla, receptiva, não se isole — quanto mais convivência, melhor, principalmente com pessoas criativas com quem possa aprender coisas novas. E as pessoas vão procurar você querendo receber mais do que dar, já que Terra 2 é a mãe que acolhe, nutre, zela, compreende, pacifica. Então aproveite bem a chance de cultivar este lado: não se acanhe, herói, já que é inevitável relaxe e dê...

Uma casa de Terra é prenhe de idéias, opiniões e pensamentos. Por acaso você não estaria pensando em começar uma terapia? Qualquer atividade voltada para o autoconhecimento é favorecida por este período, e aqui já não se trata de aprender a respirar e relaxar, como na casa 1, mas de compreender como você realmente é — e se aceitar.

CASA 3: MADEIRA CRESCENDO. VOCÊ GANHA ESPAÇO NO MUNDO

A casa 1 redefiniu o sonho, a 2 colocou tudo em ordem, a 3 vem cheia de crescimento, realizações, novos caminhos. É tempo de boa sorte! Pode confiar na intuição e trabalhar bastante pela justa recompensa, herói. Nesta casa sobressaem seu talento e sua capacidade de ação e você vai se sentir uma pessoa especial, brilhante, criativa, em pleno vôo. Mas cuide de manter o olho aberto, atento ao lado mais prático e real da vida, e cultive a humildade e a modéstia, porque sem a cabeça no lugar esse brilho todo perde a consistência e seu movimento se frustra.

É uma casa muito aventuresca e deixa a sua imaginação excitada; surgem milhões de idéias geniais ao mesmo tempo e você tem vontade de realizar todas. Faça um esforço para concentrar-se em pequenas metas e realizar uma de cada vez, de modo mais flexível, com menos erros e mais qualidade na execução.

Júpiter é o planeta ligado ao 3 e representa força, autoconfiança, caminhos iluminados. Você pode se surpreender aceitando responsabilidades que antes pareciam inaceitáveis, simplesmente porque nesta casa acha muito normal arcar com elas. E deve ser mesmo, mas não custa nada pensar bem para não ter que voltar atrás.

A sexualidade fica mais presente, mais vibrante, interessada em novidades e aventuras. Pode até dar trabalho para evitar que esta rara energia se desperdice em encontros bobos e pessoas que não resistem à manhã seguinte. Sabendo levar direito essa questão, 3 é a casa ideal para conquistar mais liberdade e autoconhecimento na área sexual.

Ah: como a casa é expansiva, tende-se a engordar. Por isso convém caminhar muito, nadar, voar de asa delta, montar cavalos, gastar energia explorando o espaço aberto. E, é claro, comer moderadamente sempre que Júpiter, esse guloso, deixar.

CASA 4: MADEIRA ENCORPANDO. É BOM FIRMAR AS RAÍZES

Na casa 3 você avançou no espaço, na 4 toma conta dele e assume uma nova posição no mundo. Anda pensando em mudanças? Ótimo, porque elas estão pensando em você e costumam ser favoráveis, especialmente no campo das relações humanas. Neste período acontece uma irradiação de energia toda especial, ainda ligada ao movimento ascendente de Madeira, mas agora a árvore se expande para os lados e forma a copa, engrossa o tronco, já pode abrigar passarinhos e quem sabe orquídeas; você talvez case, talvez tenha um filho; talvez mude de emprego e comece um trabalho inteiramente novo, mais compatível com o seu jeito de ser. Sua capacidade de comunicação aumenta, você ganha a confiança e o respeito das pessoas, tem explosões de criatividade, a personalidade brilha, tudo acontece muito rapidamente e quase sempre leva ao sucesso.

É um período muito positivo. Você se tornou uma árvore frondosa que valoriza a paisagem, dá sombra, flores e frutos. Seu ar é de felicidade, as pessoas procuram você atrás de amor e sabedoria, parece que a graça divina está a seu lado. Epa. Mais do que nunca é bom ter modéstia, herói, ser simples e evitar atitudes que possam atrair a inveja. Veja onde pisa, e principalmente veja se não há calos alheios debaixo do seu pé.

Cuidado também para não se desorganizar. Duas coisas devem ser cultivadas com muita dedicação nesta casa: a paciência e as raízes. As raízes garantem firmeza, equilíbrio, vitalidade. A paciência garante a força. "Os fortes são pacientes, Anjin San", disse o senhor Toranaga ao piloto inglês no romance Shogun, de James Clavell. "Paciência quer dizer conter a própria inclinação para as sete emoções: ódio, adoração, alegria, ansiedade, cólera, pesar, medo. Se você não dá passagem a elas você é paciente, depois logo compreenderá todo tipo de coisas e estará em harmonia com a Eternidade."

CASA 5: TERRA.
QUEM É MESMO VOCÊ?

"Que será, será... aquilo que for, será... o futuro não se vê, que será, será..." Pois é, o negócio é entrar na casa 5 malandramente, dançando conforme a música. Por quê? Ora, porque 5 é a casa do meio, e o meio é onde o movimento sempre volta antes de mudar de rumo. Até aqui, herói, você vinha se colocando no espaço, vivendo a fase ascendente do ciclo, incorporando novidades, mas de repente isso parou. Parou e deixou você no eixo de um carrossel onde quem está em movimento são os outros.

A sua posição agora parece muito estável para quem está olhando de fora — afinal, o eixo significa segurança, orientação, equilíbrio, e garante a brincadeira dos outros. Mas você, que está lá dentro, não sente estabilidade nenhuma. Recebe influências de todos os outros e oscila principalmente entre as características de Terra 2, femininas e receptivas, e de Terra 8, ativas, masculinas. Isto traz conflitos entre intuição e racionalidade, sonho e vida prática, o que você quer e o que não quer.

É um período em que sucessos e fracassos têm a mesma chance de acontecer, por isso mais favorável a projetos de longo prazo que não exijam decisões rápidas e compromissos. É possível que você se deixe impressionar muito por pessoas ou movimentos com os quais terá tendência a se envolver. Olho vivo, herói: tente ficar na sua, mesmo porque quando chegar à casa 6 já estará com outra cabeça e pode achar péssimas as decisões que tomou só porque estava impressionado.

Para evitar confusões adote uma atitude completamente sincera, tanto para uso interno quanto para com os outros. Considere que este é um período de reorientação e que seu único objetivo é permanecer no eixo, ou voltar a ele se tiver saído. Quando não souber o que fazer, não faça nada; quando não souber o que dizer, não diga nada. Se tem um envolvimento íntimo com alguém é bom conversar muito para que o seu processo fique claro e não estrague a relação. E como Terra se equilibra pela comida, especialmente de sabor doce, cuidado com os excessos. O discernimento melhora muito quando a alimentação é simples e moderada.

CASA 6: METAL.
VOCÊ AGORA É O PAI

Nesta casa, herói, você continua sendo um esteio para os outros, não mais no centro mas na liderança, com grande senso de responsabilidade em relação a si mesmo e aos outros. A casa 6 é cheia da energia do céu. Dá muita segurança e vontade de agir, especialmente naquilo que representa avanço em direção a objetivos pessoais e à autonomia. Surgem boas oportunidades que precisam ser aproveitadas, e você percebe que há um encontro de energias físicas, mentais, espirituais e cósmicas facilitando a ação.

Trabalhar, trabalhar, trabalhar: aqui seu empenho é ativo. O movimento começou de novo, agora descendente, buscando a maturidade e a conclusão. O espírito já não tem a leveza da primavera e sim a densidade do outono, voltado para a consolidação das conquistas e não para aventuras. Mas não precisa levar tudo tão a sério, cuidado para não ficar careta! Esse é o desafio da casa 6 — conseguir fazer tudo sem onipotência, sem rigidez moral ou ética, sem julgamentos extremados. Há uma tentação inconsciente de dominar os outros só porque se está convicto da verdade. Ora, e o que é a verdade? Não terá cada um a sua? E qual é a sua, herói, por falar nisso?

É oportuno cultivar valores mansos como humildade, gratidão, ternura e flexibilidade. Um grande comandante não perde nada por ser doce, nem um juiz por ser bondoso. Outra coisa importante é evitar o extremo da auto-suficiência e deixar espaço para que as pessoas mais próximas participem da ação, somando qualidades e ampliando conceitos; assim haverá um equilíbrio criativo/receptivo na casa 6, impedindo que a onipotência transforme seu ocupante num velho cavaleiro solitário de gibi.

CASA 7: METAL.
VOCÊ PLANTOU, VOCÊ COLHE

Aqui o ciclo atinge a maturidade plena, é o momento da colheita e portanto também do julgamento. Que tal, há o que festejar? São lendárias as festas das boas colheitas, mas também existem as médias e as más. Quem planta abacate certamente não colhe manga, e quem planta na hora errada não colhe nada.

Para quem viveu este ciclo em harmonia, herói, tudo o que foi desejado sinceramente durante as oito casas passadas vem agora de bandeja e com fartura, como um presente do céu. É comum haver então um período de prazer, alegria, sensualidade, comunhão fácil com as pessoas e os acontecimentos; você brilha como cristal, atraindo e irradiando boas vibrações. Parece até que a vida chegou aonde tinha que chegar e vai ser assim para sempre. Bom, né? Mas quem é vivo não come todo o grão, guarda algum para semear na hora de plantar de novo. Neste caso as sementes são a vida interior, mental e emocional, que permanece quando a festa acaba e ajuda você a ficar sozinho numa boa, observando tudo com um certo distanciamento e refletindo sobre seu próprio processo. Só assim você não corre o risco de confundir prazer com insight, cultiva a lucidez e a temperança. De repente pode até se interessar por assuntos do psiquismo e da religião, sabe? Sem preconceitos: o que importa é fazer um recanto tranqüilo dentro de você para quando não estiver a fim de agitação. O bem-equilibrado ocupante da casa

7 é capaz de sair de uma festa às cinco da manhã e ir passear a pé num lugar bonito, contemplando o nascer do sol enquanto pacifica a mente e renova os cinco sentidos. É pedir muito, dirão? Que seja. Nesta casa tudo é possível. Nem sempre foi assim, nem sempre será; cabe aproveitar.

E se a colheita não pareceu boa, juízo final nela! Tire um tempo para pensar, saia um pouco, mude de ares que de longe se vê melhor as coisas. Procure analisar o que aconteceu nas casas anteriores e perceber que plantio foi esse, herói, que frutos você está colhendo. A boa colheita às vezes não tem fartura nem festa, somente uma lição para ser aprendida, e precisa ser muito bem recebida para germinar e dar frutos no ciclo seguinte.

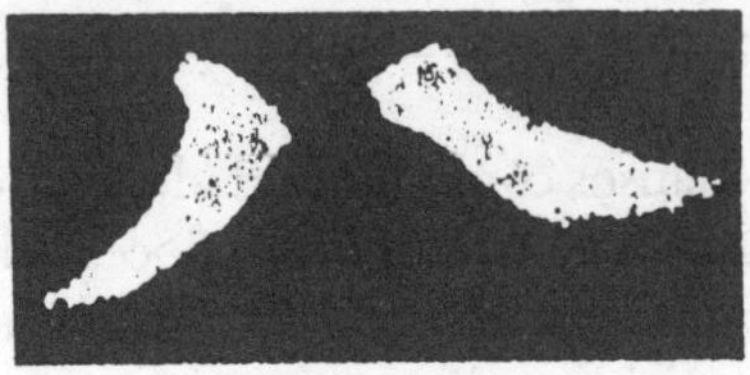

CASA 8: TERRA.
VOCÊ ESCOLHE UM NOVO CAMINHO

Esta é a mais curiosa de todas as casas. Impossível ignorar que já se deu a colheita e portanto a semente está inquieta, em pleno movimento, empreendendo sua volta à terra; impossível ignorar também que no I Ching o 8 é associado à montanha, porque neste período nos sentimos um tanto sólidos, pesados e quietos como ela, grudados no chão. Esse cruzamento de semente com montanha resulta num pequeno movimento dentro de uma forte inércia e isto nos confunde, herói — sabemos que há algo a decidir, mas não exatamente o quê, nem como.

Qual é o seu verdadeiro desejo neste momento? Que caminho você gostaria de seguir? Está na hora de usar a capacidade de reflexão que caracteriza a casa 8 para clarear essas questões, já que as decisões propriamente ditas são embutidas e só vão aparecer mesmo na altura da casa 1. Mais uma vez você está em Terra, portanto no centro; olhe para você, converse com seus botões, aproveite o poder de concentração mental que a casa 8 oferece, conheça-se mais e melhor.

Você vai se ver às voltas com a força de suas idéias e opiniões, às vezes terrivelmente subjetivas, e isso pode dar margem a rompantes e momentos insensatos, expondo você a críticas e trazendo dificuldade na comunicação com os outros. Mantenha em mente a imagem quieta da montanha, cultive a sinceridade, admita que existe mesmo uma certa indecisão e procure as velhas amizades, o contato com pessoas que podem compreender e ajudar. Na relação amorosa, cuidado com a facilidade de sentir ciúmes ou fazer exigências.

Atividade física ajuda a viver melhor a casa 8, já que areja a mente e assim liberta velhas estruturas de pensamento que não têm por que permanecer. Cuidado com as críticas e exigências. A colheita aconteceu, o julgamento acabou; virá um novo ciclo; na casa 8 começamos a nos renovar.

CASA 9: FOGO.
DEIXE O SEU SOL BRILHAR!

Já viu, herói, como o fogo sobe, se espalha, domina? A casa 9 é Fogo. Nesta posição você desfruta do nível mais alto e mais ativo da energia, da visão mais ampla do horizonte; os outros também vêem você — sua personalidade está cheia de luz e calor e se irradia, contagiando quem está perto. A comunicação com os outros é fácil. Surgem novas experiências, situações pouco comuns, e você vive todas elas com um espírito de aventura que normalmente pode não possuir. Aproveite bem as chances, mantenha-se em atividade e não desperdice energia com o que não interessa.

9 é a casa da exuberância, da fruta madura que exala seu perfume para atrair o desejo de quem passa. Um momento muito especial no ciclo. Consolidam-se as mudanças que ocorreram na casa 8, o caminho da semente já se resolveu lá por dentro, o período que vem depois será de profundidade e recolhimento. Agora a atividade da energia atinge o nível máximo antes de mudar para seu oposto em 1, que é a não-ação

Cuidado com seus desejos nesta casa, pois eles tendem a se realizar. Se eles forem fortes demais queimarão como fogo e podem sacrificar outras pessoas, principalmente as que estiverem mais próximas. Mais do que nunca você precisa de independência para se realizar, mas alguém que está atraído por você não vai compreender isso; se há uma relação amorosa em curso, avalie bem seus gestos porque ela pode simplesmente acabar. Nenhuma culpa, claro. O fogo une os iguais e separa os diferentes. Num fim de ciclo, não é estranho que você queira mesmo encerrar o caso e andar só pelos caminhos. Mas veja bem se isso é verdadeiro, e não se esqueça da solidariedade — o digno ocupante da casa 9 exerce seu poder no fogo do espírito divino, transformador, e não no incêndio irresponsável que destrói sem deixar nada para contar a história.

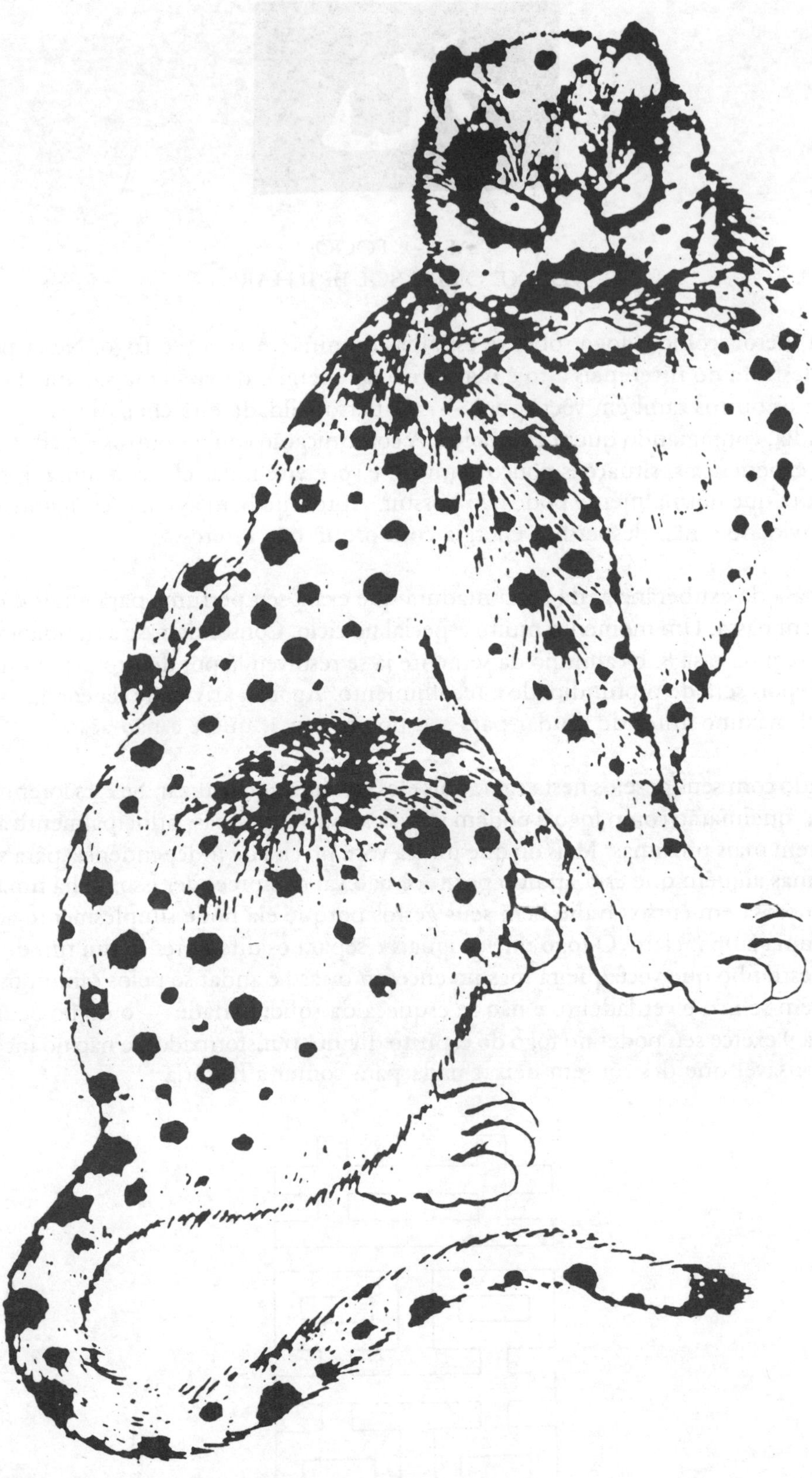

MAS ISSO TUDO É VERDADE? PERGUNTA O HERÓI

Era só o que faltava: depois de tanta explicação, herói, você ainda quer a verdade? Que mania! Só para esticar o papo, não é? E além do mais, qual verdade? De quando? De onde? Ah, sim, a verdade essencial, aquela última e absoluta, a única. Entendi.

O problema, herói, é que ninguém sabe a verdade. Mesmo porque verdade significa conformidade com o real, exatidão, realidade, e nada pode ser mais instável, mutante e fugidio que a realidade. Nisso, aliás, se funda toda a filosofia chinesa — no fato de que tudo está em movimento o tempo todo, e nós só podemos mesmo é tratar de acompanhar o movimento, flagrar sua dinâmica, observar os seus processos.

A física moderna já registrou isso: que o universo é imprevisível, errático, aleatório, e que a ordem se cria no interior da desordem de forma tão maluca que o lindo bater de asas de uma borboletinha, aqui, é capaz de provocar um tremendo ciclone, acolá, através de uma série de reações em cadeia, efeitos de agregação, acumulação de energia, convergência ou bifurcação de forças, coisas assim. Ou seja, não há maestro nenhum regendo esta orquestra; vivemos no caos.

Só que para nós, seres racionais e civilizados, a idéia de viver no caos é insuportável, então inventamos o maestro e mais a partitura. Assim criamos uma fantasia que funciona na nossa cabeça como se fosse verdade. Criamos como? Com palavras — dando nome ao que queremos que seja verdade, e que se torna verdadeiro quando dá certo. Aí, herói, o caos fica encoberto por essa imaginação da realidade; e o melhor é que através dela conseguimos nos entender com o caos, geralmente tão bem que acabamos acreditando que ele é organizado.

Por isso Confúcio disse que a harmonia do mundo depende da retificação dos nomes. Dos nomes, porque os fenômenos em si não podem ser retificados — existem e pronto, salve-se quem puder. Uns vão chamar de um jeito, outros de outro.

Os chineses antigos acreditavam numa geometria secreta do universo, revelada pelo Quadrado Mágico. Essa era a idéia de realidade lá deles, que se mostrou verdadeira daquele ponto de vista e é utilizada até hoje na arte de curar. Mas os chineses antigos também achavam muito mais seguro observar o todo através de yin e yang, os dois princípios fundamentais, e usar apenas como complemento os esquemas rígidos de Madeira, Fogo, Terra, Metal e Água. Seriam yin e yang a verdade?

Richard Wilhelm, que dedicou sua vida ao estudo da língua e da filosofia chinesas e nos deu a melhor interpretação ocidental do I Ching, fala assim sobre yin e yang: "Em sua alternância e em sua ação recíproca, os dois poderes fundamentais servem para explicar todos os fenômenos do mundo. No entanto, algo sempre resta, uma questão última, que não pode ser explicada. Este derradeiro significado do Tao é o espírito, o divino, o insondável, aquilo que se deve reverenciar no silêncio".

É isso, herói — a verdade que você quer pode ser pressentida, mas nunca alcançada. Está em toda parte e em lugar nenhum, dentro de nós e fora ao mesmo tempo. Faz parte do mundo dos fenômenos de um modo tão definido que todos os caminhos a contêm, mesmo os que partem em direções opostas, e o único jeito de você se encontrar com ela é ir vivendo. Mesmo porque, como dizia o sábio Ch'i Po, os que refreiam os demônios e os deuses não alcançam a virtude por falar dela.

Tchau, herói. Foi um prazer. Melhoras para a sua coluna. Nenhum conselho: o desejo é todo seu.

Tao, o caminho

ÍNDICE

Abacaxi 94
Abóbora 94
Acelga (couve chinesa) 94
Ácidos 63
Açúcar mascavo 94, 119
Açúcar refinado 94, 119
Adrenais 60
Ágar-ágar 94
Agrião 94
Água 39, 59, 60
Aipo 95, 119
Alcachofra 95
Alcaparra 95
Alcoolismo 114
Alface 95, 119
Alfafa 95
Algas marinhas 95
Alho 95, 119
Alho-poró 95
Alma 24
Amargos 63
Amendoim 95
Amígdalas 56
Amora 95
Amuleto para boa viagem 11
Amuleto para mulheres 46
Anchova 96
Arenque 96, 119
Arrotar 34
Arroz 96
Arroz integral 74
Arroz moti 96
Arteriosclerose 114
Aspargo 96, 120
Atum 96
Audição 114
Aveia 96
Azeitona 96
Baço 55, 114
Banana 96
Bardana 96
Batata-doce 96
Batata-inglesa 97
Beldroega 97
Berinjela 97, 120
Beterraba 97
Bexiga 59
Broto de bambu 97
Café 97
Cálcio 40
Calmantes 114
Calvície precoce 114
Camarão 97
Cana-de-açúcar 97
Câncer 114
Câncer cervical 45
Canela 97
Capacidade sexual 114
Caqui 98
Cará 98
Caranguejo 98
Carboidratos 56
Cardápios? 69
Carne da cabeça do carneiro 98
Carne de boi 98
Carne de carneiro 98
Carne de cavalo 98
Carne de codorna 98
Carne de coelho 99
Carne de galinha 99
Carne de galo branco 99
Carne de ganso 99
Carne de javali 99
Carne de pato 99
Carne de pombo 99
Carne de porco 99
Carne de tartaruga 99
Carne vermelha 98, 120
Carne de boi, carneiro e porco 98
Carnes 67, 69
Carpa 99
Casca de ovo 99
Castanha portuguesa 99
Categorix 89
Cavalo-marinho 100
Cebola 100
Cebolinha verde 100
Cenoura 100

Cérebro 59
Cérebro de cordeiro (miolo) 100
Cereja 100
Cevada 100
Cevada perolada 100
Chalota 100
Chi Kun 17
Chi 16, 17, 48
Cicatrizantes 115
Ciclo de dominação da energia 15
Ciclo de geração da energia 15
Ciclo perverso 15
Circulação-sexo 54
Cistos ovarianos 45
Clara de ovo 100
Classificatrix 83
Cobre 22
Coco 100
Coentro 100, 120
Cogumelo 120
Cogumelo comum 101
Cogumelo shiitake 101
Cólicas menstruais 44
Coisas frias ou geladas 120
Cominho 101
Condição física do herói 75
Condição fria 75
Condição quente 75
Condição seca 75
Condição úmida 75
Congestão de sangue no ventre 45
Conjuntivite 115
Contra-indicações 119
Coração 53, 115
Coração de porco 101
Corrimentos 45, 115
Couve-rábano 101, 120
Cravo 101
Cru e cozido 70
Deficiência do Wei Chi 47
Depressão mental 38, 115
Descargas vaginais 45, 115
Desejo 43
Desintoxicantes 115
Diabete 115
Digestão 115
Diuréticos 115
Doces 63
Dor de cabeça 115
Dor lombar 115
Edema 115
Ejaculação precoce 115
Eletrólitos e estimulantes 53
Enguia 101
Enxaqueca 115
Ereção 115
Erisipela 116
Erva-doce (semente) 101
Ervilha 101
Espermatogênese 116
Espermatorréia 116
Espinafre 101
Espírito divino 29
Estações do ano 68
Estagnação do Chi do fígado 45
Estômago 55, 116
Estrela de cinco pontas 12
Farelo de trigo 102
Farinha de cevada 102
Febre alta 116
Feijão azuki 102, 120
Feijão branco 102
Feijão-de-corda 102
Feijões 102
Ferro 22
Fígado 9, 51, 116
Fígado de boi ou de vitela 102
Fígado de cavalo 102
Fígado de cordeiro 102
Fígado de galinha 102
Fígado de galo 103
Fígado de porco 103
Figo 103
Final do verão 33
Fluidos 49
Fogo 25, 53
Folha de mostarda 103, 120
Fósforo 36
Framboesa 103
Frutas 103
Furúnculos 116
Garganta 116
Geléia real 103
Gengibre 103
Gergelim 103
Gergelim preto 120
Germe de trigo 103
Gersal 103
Girassol 104
Glossário do corpo humano 48
Gônadas 52
Gorduras 52
Gravidez 116
Gripe, infecção respiratória 116
Guardar comida na geladeira 120
Hemorróida 116
Hipertensão 116
Hortelã 104
Idéias e opiniões 34
Impotência 116
Inhame 104
Insolação 116

Insônia 117
Intestino delgado 53
Intestino grosso 58
Intestinos 117
Inverno 42
Irregularidades menstruais 45
Jing 49
Leite de coco 104
Leite de ovelha 104
Leite de vaca 104
Leite de vaca, cabra e ovelha 121
Leite materno 117
Limão 104
Língua 54
Litchi 104
Louro 104
Lubrificam os intestinos 114
Maçã 104
Madeira 19, 51
Magnésio 40
Magreza 117
Maltose 105
Mamão 105
Manga 105, 121
Manjericão 105
Manteiga 105, 121
Marisco 105
Mas isso tudo é verdade? 153
Mastite 117
Medo 43
Medronho 105
Medula 59
Mel 67, 105, 121
Melancia 106
Melão 106
Menstruação 44, 117
Meridianos Água 60
Meridianos de energia 10
Meridianos Fogo 53
Meridianos Madeira 52
Meridianos Metal 58
Meridianos Terra 56
Metabolismo 51
Metal 35, 57
Milho 106
Miomas 45
Misso 106
Moela de galinha 106
Morango 106
Movimento 65
Muco 117
Mulheres 44
Músculos 117
Nabo 106, 121
Natureza 65
Neutralizam toxinas 114
Ninho de andorinha 106
Nove casas 144
Nove personalidades 128
Noz 106
Noz-moscada 106
O banco da cozinha 94
O quadrado mágico 124
Óleo de amendoim 107
Óleo de gergelim 107
Óleo de girassol 107
Óleos em geral 107
Olhos 14, 19, 20, 22, 52
Ordenalfabetix 77
Orégano 107
Órgãos curiosos 51
Órgãos Yang 50
Órgãos Yin 50
Os cinco "elementos" 14
Ossos 59, 117
Ostra 107, 121
Otite 117
Ouriço 107
Outono 36
Ovo de codorna 107
Ovo de galinha 107
Ovo de pata 107
Ovo de pomba 107
Ovos 67, 108
Paciência 20
Painço 108
Pâncreas 56
Pânico 24
Papa de arroz 70
Peixes de água doce 67
Pele 58, 117
Pepino 108, 121
Pêra 108
Pericárdio 53
Peristaltismo intestinal 58
Perna de rã 108
Personalidade Água 1 128
Personalidade Madeira 3 130
Personalidade Madeira 4 131
Personalidade Metal 6 134
Personalidade Metal 7 135
Personalidade Metal 8 137
Personalidade Metal 9 138
Personalidade Terra 2 129
Personalidade Terra 5 132
Pêssego 108
Pimenta branca 108
Pimenta-do-reino 108
Pistache 108
Pituitária (hipófise) 53
Pneumonia 117
Polvo 108, 121

Potássio 26
Presunto fresco 108
Primavera 22
Prisão de ventre 117
Problemas pós-parto 117
Produzem umidade e fluidos 113
Proteínas 60
Pulmões 57, 1127
Quanto? Como? Quando? 62
Queijos 109, 121
Queimadura 118
Quinta estação 33
Rabanete 109
Raiva 18
Raiz-de-lótus 109
Rápida referência 112
Reduzem o calor 114
Reduzem o frio 114
Reduzem o Yang 113
Reduzem o Yin 113
Reduzem umidade e fluidos 113
Reforçam o aquecedor médio 113
Reforçam o Chi 112
Reforçam o princípio vital 112
Reforçam o sangue 112
Reforçam o Yang 113
Reforçam o Yin 113
Reforçam os cinco órgãos 114
Os modos da energia 16
Removem estagnações do sangue 113
Repolho 109
Resfriados 47
Respiração 38
Ressaca 118
Reumatismo 118
Rim de boi 109
Rim de carneiro 109
Rins 59, 118
Sabor ácido 20
Sabor amargo 26
Sabor doce 30
Sabor picante 35
Sabor salgado 39
Sabores 62
Sabores fortes 64
Sabores moderados 64
Sabores picantes 63
Sabores salgados 63
Sabores sutis 64
Sabores tóxicos 64
Sal 66, 109, 121
Salsa 109
Sangue 49
Saquê 66
Sarampo 118
Sargaço 109
Sarna 118
Sede 118
Semelhante cura semelhante 69
Semente de girassol 110
Sensibilidade 118
Sentimentos 26
Sexualidade 60
Shen 49
Shoyu 110
Sistema linfático 56
Sódio 26
Soja verde 110
Sol 28
Soluço 118
Sumo de gengibre 66
Suores noturnos 118
T'ai Chi 18
Tabaco 110
Tabela dos anos 126
Tabela dos meses 127, 142
Tabelas e mais tabelas 76
Tangerina 110
Temperos fortes 22
Tendões 118
Terra 30, 55
Testículos 118
Timo 56
Tiróide 58
Tofu (queijo de soja) 110, 121
Tomate 110, 121
Tônus sexual 23
Toronja (grapefruit) 110
Tosse 118
Tossir 38
Transas 139
Tremer 43
Trigo 111
Trigo-sarraceno 111, 121
Triploaquecedor 54
Tristeza 29
Tuberculose pulmonar 118
Tudo bem no ano que vem? 141
Úlceras 119
Unhas 52
Útero 119
Uva 111, 121
Vagem 111
Verão 28
Vesícula biliar 52
Vinagre de arroz 66
Vinagre 111
Visão 119
Yin e Yang 12, 50
Zinco 32

BIBLIOGRAFIA, ICONOGRAFIA E NOTAS

Adrienne Mayes, The dictionary of nutritional health; Thorsons Publishing Group, NY, 1986.

Bill Harris, China, land of eternity; Arch Cape Press, New York, 1989.

Bob Flaws and Honora Wolfe, Prince Wen Hui's cook; Paradigm Publications, Brookline, Ma, 1983.

Colin A. Ronan, abreviando Joseph Needham, The shorter science & civilization in China, volumes 1 e 2; Cambridge University Press, 1986.

Daniel Laurent, Précis d'acupuncture traditionelle; Guy Trédaniel Editeur, Paris, 1987.

David Eisenberg with Thomas Lee Wright, Encounters with Qi; Jonathan Cape, London, 1986.

Derek Walters, The T'ai Hsuan Ching; Aquarian Press, Northamptonshire, 1984.

Dianne M. Connelly, The law of the five elements; The centre for traditional acupuncture, Columbia, 1979.

Edward H. Schafer, China antiga; Livraria José Olympio Editora, Rio de Janeiro, 1973.

François Thierry, Amulettes de Chine et du Viet-nam; Éditions Le leopard d'or, Paris, 1987.

Harry Garner, Sir, Chinese Lacquer; Faber and Faber, London, 1979.

Henry C. Lu, Chinese system of food cures; Sterling Publishing Co., NY, 1986.

Huang Ti nei ching su wen, Tratado de medicina interna do Imperador Amarelo, edições diversas; parcialmente publicado no Brasil como O livro de ouro da medicina chinesa, Editora Objetiva, RJ, 1989.

Jean-Marc Eyssalet, G. Guillaume e Mach-Chieu, Diététique énergétique et médecine chinoise; Éditions Présence, Sisteron, 1984.

Jean-Marc Eyssalet, Les cinq chemins du clair et de l'obscur; Guy Trédaniel Éditeur, Paris, 1988.

John Diamond, Seu corpo não mente; Editora Record, RJ, 1979.

Kay Weiss, editor, Women's health care, a guide to alternatives; Reston Publishing Co., Virginia, 1984.

Linda Chih-ling Koo, Nourishment of life; The Commercial Press, Hong Kong, 1982.

Marcel Granet, La pensée chinoise; chez Albin Michel, Paris, 1968.

Mary Tregear, Chinese art; Thames and Hudson, London, 1980.

Michio Kushi, Natural healing through macrobiotics e Macrobiotic home remedies; Japan Publications, NY, 1983 e 1986.

Naboru Muramoto, Healing ourselves; Avon Books, NY, 1973.

Philip Rawson and Laszlo Legeza, Tao, the chinese philosophy of time and change; Thames and Hudson, London, 1987.

Pierre Huard e Ming Wong, Soins et techniques du corps en Chine, au Japon et en Inde; Berg International Éditeurs, Paris, 1971.

Richard Wilhelm, I Ching; Editora Pensamento, São Paulo, 1983.

Rudolph Ballentine, Diet and nutrition e Transition to vegetarianism; The Himalayan International Institute, Honesdale, 1982 e 1987.

Steve Gagné and John Mann, The nine ki handbook; Spiralbound Books, NY, 1985.

Ted J. Kaptchuk, The web that has no weaver; Congdon & Weed, New York, 1983.

W.A. Sherrill and W.K. Shu, The astrology of I Ching; Routledge and Kegan Paul, London, 1978.

Wendy Esko, apostilas diversas; The Kushi Institute, Brookline, 1985.

William F. Ganong, Review of medical phisiology; Lange Medical Publications, California, 1971.

Wolfram Eberhard, Dictionnaire des symboles chinois; Éditions Seghers, Paris, 1984.

Yves Requena, Acupuntura y psicologia; Las mil y una ediciones, Madrid, 1985.

Na capa: Guan Gong vestido de general, empunhando sua alabarda, século 18. Essa figura é a forma divinizada do general Guan Yu dos Han de Shu, exemplo de bravura e fidelidade, espírito protetor cultuado desde o século 7 como exterminador de demônios. No buraco de sua barriga (já que o desenho pertence a um amuleto tipo moeda, com um buraco no meio) entrou a encantação de Tai Shang, o Senhor do Alto, também usada para espantar demônios.

Nas capas internas e páginas de guarda, paisagem taoísta de Huang Kung-wang, século 14. Os brincos: na orelha esquerda, amuleto em caligrafia craquelê com diagrama para vitalizar o cérebro; na orelha direita, talismã de papel triangular carimbado com diagrama taoísta. A forma é a mesma que o editor de texto usado neste livro usa para finalizar uma linha.

5 Escrita mágica do caractere shou, longevidade, junto a pêssegos e cogumelos; pintura em porcelana, século 18.

6 A fênix, uma das criaturas mágicas da mitologia chinesa; dizem que só aparecia quando o país era governado por um bom imperador.

8 Malabarista em plena ação, baixo-relevo da dinastia Han (2 aC—2 dC), copiado por fricção.

10 Nuvens e constelações em escritura taoísta, século 12.

11 Amuleto em forma de moeda com um furo no meio; para garantir boa viagem e prosperidade no retorno.

13 As pétalas de uma datura sagrada representam as cinco pontas da estrela.

14 A representação gráfica da interação dos cinco elementos na circulação interna. Do Cânon taoísta.

16 Forma arcaica de escrever o Chi: acima o fogo, embaixo o vazio.

18 O T'ai Chi gerando os cinco modos da energia.

19 O cavalo e o arco ampliando o espaço do homem.

21 27 31 37 41 128 129 130 131 132 134 135 137 138 Caligrafia de Ângela Andrade.

22 Olho de Peixe: nome do cavalinho que está na página 55.

24 O cervo e o alto funcionário: símbolo de prosperidade.

25 As brigas de galo eram proibidas, mas nem por isso deixavam de acontecer.

28 A gazela é um tema iconográfico que evoca Buda e sua primeira prédica, no Bosque das Gazelas, em Benares.

30 Um boi de hieroglifos. Como é o animal que mais ajuda na lavoura, puxando o arado e a carroça, a maioria do povo sempre achou que era um pecado comer sua carne.

34 Um tipo de caligrafia da era Han.

35 "Um faz dois, dois fazem três, de três nascem as dez mil coisas." Foi assim que Lao Tsé condensou a cosmologia chinesa. Dez mil é a expressão que simboliza o todo e a imortalidade. A ilustração mostra o símbolo de dez mil em forma de caminho d'água.

39 O sapo e a rã são símbolos de longevidade.

42 Detalhe de trabalho em madeira em caixa do século 17.

43 Nanquim de Shen Chou, século 15, mostrando o poeta no alto do penhasco; um dos primeiros trabalhos em que a caligrafia aparece integrada à composição.

44 Parecem duas mulherzinhas, mas a da direita é o marido.

46 O diagrama da Cura Celestial para mulheres aparece no Cânon taoísta.

47 A arte de empinar pipas é tradicional na China.

51 52 54 55 Moedas com desenhos de cavalos faziam parte de um jogo muito popular nas dinastias Tang e Song.

57 O qui-lin chinês equivaleria ao unicórnio europeu, cavalo dotado de um chifre pontiagudo no meio da testa, se não fosse o fato de aparecer com dois ou três chifres de vez em quando. É um dos quatro bichos fabulosos (os outros são o dragão, a fênix e a tartaruga).

61 61A 61B Baixo-relevo reproduzido por fricção. Período Han.

62 Uma garça real diante dos ramos de crisântemos e peônias onde pousou uma pega.

63 Em chinês, peixe e abundância têm o mesmo som; por isso o primeiro se tornou símbolo da segunda. O peixe da ilustração faz votos de que sempre sobre alguma coisa.

64 Relevo do período Han em parede de Chengtu, na província de Szechwan, reproduzido por fricção.

65 A pega (para nós uma espécie de pintassilgo-do-mato) é portadora de muita alegria.

66 Caracteres místicos em estilo passarinho.

67 Talismã da Verdadeira Forma dos Cinco Picos, que corresponde aos cinco picos sagrados da China, base geográfica da teoria dos cinco elementos. Enfaticamente recomendado para quem pretende entrar numa montanha: impede que os fantasmas das árvores e das rochas e os espíritos transcendentes das montanhas e das torrentes ousem perturbar. Mas também serve para ter em casa, perto do fogo, garantindo que qualquer gesto mau dirigido aos moradores se voltará contra o maldoso.

68 O Grande Amarelo, nome do cavalinho da página 52.

69 Baixo-relevo em pedra, da dinastia Han, reproduzido por fricção.

72 Estilização da flor da ameixeira.

75 À direita está a lebre da lua, com o pilão e o almofariz onde soca cascas de canela; à esquerda, quem sabe? Seria algo ligado ao corvo do sol? Lebre lunar e corvo solar andam juntos na simbologia chinesa, significando longevidade.

76 Gatinho na folhagem da peônia: para você ficar rico.

77 a 82 Rato, boi, dragão, cabra, macaco e cobra: seis animais do zodíaco chinês.

82 Amuleto em forma de tigre, o protetor dos tesouros.

83 a 88 Coelho, cavalo, tigre, galo, cachorro, porco: os outros seis animais do zodíaco chinês.

88 Garotinho com cetro, montado num elefante: bons presságios, realização dos seus desejos.

89 Motivo ornamental da felicidade, muito usado nas fachadas das casas.

93 Amuleto moderno que evoca a Escola dos Letrados, confucionista.

111 A interação dos cinco sabores, cheiros, cores, órgãos, partes do corpo e animais.

119 Longa vida, riquezas e honrarias, que o ouro e o jade encham a sua casa!

120 Paisagem de Tao Chi, século 17.

121 Parte do diagrama das mutações, que representa a força penetrante do Espírito Vital, a ação transcendental do Tao e os laços entre o macrocosmo e o microcosmo. Do Cânon taoísta.

124 Grafismo relativo ao T'ai Hsuan Ching, oráculo baseado em tetragramas.

125 À esquerda está Lo Shu, o Quadrado Mágico de nove casas (existem outros com características diferentes), cujas figuras representam os números em sua posição tradicional. À direita está Ho Thu, o diagrama de um certo movimento dos números através das casas.

126 Nenhuma garantia de que a tartaruga em branco sobre fundo preto seja a legítima portadora do Diagrama Lo, mas de todo modo merece o olhar atento da menorzinha. Tartaruga, na China, é um animal enigmático a quem se atribui a guarda dos segredos do céu e da terra. Em parte, porque seu casco côncavo e arredondado pode ser comparado à abóbada celeste enquanto seu peitoral plano e quadrado parece a terra; em parte porque os vinte e quatro recortes do casco correspondem aos vinte e quatro períodos do calendário agrícola; também porque sua longevidade a autoriza a ser um legítimo símbolo da solidez inalterável.

127 A garça real em pleno vôo saiu de um amuleto onde fazia dupla com a tartaruguinha da página anterior; os peixinhos vieram de um manto de seda todo bordado.

133 Os cinco animais malévolos.

136 Monge taoísta cavalgando um tigre.

139 Na tradição chinesa só existiam tartarugas fêmeas, que na falta de machos se acasalavam com as serpentes, o que era considerado muito imoral.

140 O nó infinito.

142 Os passarinhos são detalhes remontados de um baixo-relevo do século 2 que mostra a constelação da Ursa Maior carregando um alto burocrata.

143 O gato também saiu de um baixo-relevo da era Han, via fricção.

144 O signo de mutação do I Ching.

145 a 151 Os números de um a nove escritos em diversos estilos antigos.

151 O símbolo da dupla felicidade, ou felicidade conjugal.

152 Uma pantera, animal raro na iconografia chinesa.

154 Tao: o ideograma é formado por duas partes. Uma significa cabeça, outra mostra a estrada; o conjunto leva numa direção, portanto temos caminho, temos consciência em movimento.

155 e 156 Zhong Kui com um morcego, conjurando a felicidade. Zhong Kui é o maior dos caçadores chineses de demônios, admirado até no inferno; e o morcego é um símbolo de felicidade, já que seu nome, fu, é homófono do fu que significa riqueza. Além disso, é um animal quadrúpede e uma ave ao mesmo tempo. Cinco morcegos juntos são o máximo: representam longevidade, saúde, fortuna, amor à virtude e morte natural.

Todas as ilustrações são chinesas.

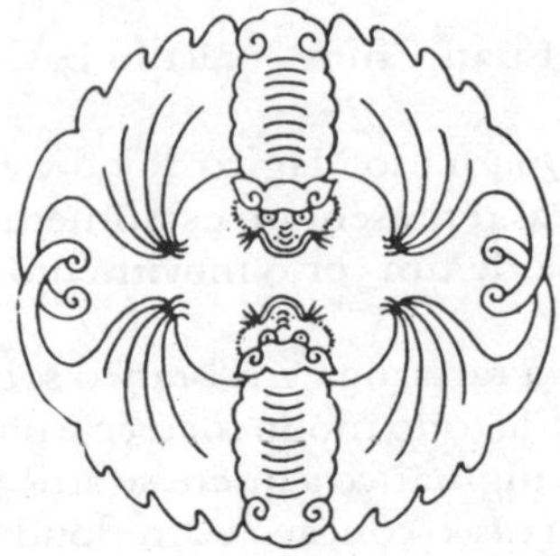

Minha profunda reverência aos autores dos livros consultados, principalmente àqueles que conseguiram uma visão sincera do conhecimento tradicional chinês; aos autores das ilustrações, anônimos em sua maioria; e aos livreiros das livrarias Laissue, Leonardo da Vinci, Pororoca e Dazibao, que trazem o mundo de lá para cá.

Agradecimentos especialmente carinhosos a Rita Toledo, Pragita, João Curvo, Paulinho Sabiá, Marly Guedes e Gaúcho pelos livros; a Newton Montenegro de Lima pela presença na fase inicial do trabalho, e por tudo o que me ensinou; a Claudia Moraes Rego pela sugestão do título, entre outros palpites felizes; a Angela Andrade por livros, toques e caligrafia dos caracteres chineses; a César Lobo, Bia Paes Leme, Stella Marina e Luiz Carlos Marinho, por tudo; e ainda a Kioshi, Makoto, Dominique Paris, Sonia Vergne, Renate Tirler, Maria Clara Macedo, Carlos Alberto Figueiredo, Paulo Henrique Veloso Souto, Daniel Fuks, Bia Cepelowitz e todo mundo que aturou e ainda vai aturar minha paixão pelo tema, que certamente não se esgota aqui.

O texto foi composto em casa mesmo, com o CartaCerta III, e processado pela Alfalógica. A boa qualidade das reproduções canon é mérito de Wachacopy. Foi um prazer trabalhar com Maria de Fátima Barbosa, que verificou originais e assessorou a editoração; com Marcos e Santos, no preview; e com Gláucio Pereira na arte-final. Maria Neide fez a revisão tipográfica e José Neto a assistência de produção. Fotolitos, impressão e acabamento: Gráfica e Editora Prensa Ltda.

Rio de Janeiro, primavera de um ano Água para o mundo e Madeira 3 para mim.

OUTROS LIVROS DE SONIA HIRSCH

PRATO FEITO
A comida unindo o útil ao agradável:
idéias e receitas para comer melhor

SEM AÇÚCAR, COM AFETO
Você já sabe que açúcar vicia e faz mal?
Uma denúncia e 75 receitas naturalmente doces

MAMÃE, EU QUERO
Até os seis meses, só mesmo o peito;
depois, um guia prático para alimentar crianças

DEIXA SAIR
Alimentação, respiração, movimento, pensamento, relações:
como desentupir canais e evitar doenças

DIDÓ, O CURANDEIRO
Num conto lírico, engraçado, mágico e ecológico,
uma declaração de amor à natureza

INHAME INHAME
Notícias e receitas dessa batata deliciosa
que nutre, limpa o sangue e protege da dengue

O MELHOR DA FESTA
Salgadinhos, docinhos, bebidinhas, pratos especiais
para quem gosta de festas sem conseqüências fatais

BOCA FELIZ
Ninguém precisa ser naturalista para comer bem:
livreto bem popular, bem brasileiro, bem sadio